AMRYWIAITH 3

Llyfrau Llafar Gwlad

AmrywIAITH 3
Blas ar dafodieithoedd Cymru

Dr Guto Rhys

Argraffiad cyntaf: 2023

ⓗ Guto Rhys/Gwasg Carreg Gwalch

ISBN clawr meddal: 978-1-84527-905-9
ISBN elyfr: 978-1-84524-542-9

CYNGOR LLYFRAU CYMRU

Mae'r cyhoeddwr yn cydnabod cefnogaeth ariannol
Cyngor Llyfrau Cymru

Cynllun clawr: Sion Ilar

Cyhoeddwyd gan Wasg Carreg Gwalch,
12 Iard yr Orsaf, Llanrwst, Conwy, LL26 0EH.
Ffôn: 01492 642031 Ffacs: 01492 641502
e-bost: llyfrau@carreg-gwalch.cymru
lle ar y we: www.carreg-gwalch.cymru

Argraffwyd a chyhoeddwyd yng Nghymru.

Cynnwys

Cyfres Llyfrau Llafar Gwlad – rhai teitlau

59. TYDDYNNOD Y CHWARELWYR
    Dewi Tomos; £4.95
60. CHWYN JOE PYE A PHINCAS ROBIN – ysgrifau natur
    Bethan Wyn Jones; £5.50
61. LLYFR LLOFFION YR YSGWRN, Cartref Hedd Wyn
    Gol. Myrddin ap Dafydd; £5.50
62. FFRWYDRIAD Y POWDWR OIL
    T. Meirion Hughes; £5.50
63. WEDI'R LLANW, Ysgrifau ar Ben Llŷn
    Gwilym Jones; £5.50
64. CREIRIAU'R CARTREF
    Mary Wiliam; £5.50
65. POBOL A PHETHE DIMBECH
    R. M. (Bobi) Owen; £5.50
66. RHAGOR O ENWAU ADAR
    Dewi E. Lewis; £4.95
67. CHWARELI DYFFRYN NANTLLE
    Dewi Tomos; £7.50
68. BUGAIL OLAF Y CWM
    Huw Jones/Lyn Ebenezer; £5.75
69. O FÔN I FAN DIEMEN'S LAND
    J. Richard Williams; £6.75
70. CASGLU STRAEON GWERIN YN ERYRI
    John Owen Huws; £5.50
71. BUCHEDD GARMON SANT
    Howard Huws; £5.50
72. LLYFR LLOFFION CAE'R GORS
    Dewi Tomos; £6.50
73. MELINAU MÔN
    J. Richard Williams; £6.50
74. CREIRIAU'R CARTREF 2
    Mary Wiliam; £6.50
75. LLÊN GWERIN T. LLEW JONES
    Gol. Myrddin ap Dafydd; £8.50
76. DYN Y MÊL
    Wil Griffiths; £6.50

78. CELFI BRYNMAWR
    Mary, Eurwyn a Dafydd Wiliam; £6.50
79. MYNYDD PARYS
    J. Richard Williams; £6.50
80. LLÊN GWERIN Y MÔR
    Dafydd Guto Ifan; £6.50
81. DYDDIAU CŴN
    Idris Morgan; £6.50
82. AMBELL AIR
    Tegwyn Jones; £6.50
83. SENGHENNYDD
    Gol. Myrddin ap Dafydd; £7.50
84. ER LLES LLAWER – Meddygon Esgyrn Môn
    J. Richard Williams; £7.50
85. CAEAU A MWY
    Casgliad Merched y Wawr; £4.99
86. Y GWAITH A'I BOBL
    Robin Band; £7.50
87. LLÊN GWERIN MEIRION
    William Davies (gol. Gwyn Thomas); £6.50
88. PLU YN FY NGHAP
    Picton Jones; £6.50
89. PEN-BLWYDD MWNCI, GOGYROGO A CHAR GWYLLT –
    Geiriau a Dywediadau Diddorol
    Steffan ab Owain; £6.50
90. Y DYRNWR MAWR
    Twm Elias ac Emlyn Richards; £7.50
91. CROESI I FÔN – Fferïau a Phontydd Menai
    J. Richard Williams; £8.50
92. HANES Y BACO CYMREIG
    Eryl Wyn Rowlands; £8
93. ELIS Y COWPER
    A. Cynfael Lake; £8
94. AMRYWIAITH
    Dr Guto Rhys; £7.50
95. AMRYWIAITH 2
    Dr Guto Rhys; £7.50

Cyflwyniad

Rydw i eisoes wedi rhoi cyflwyniadau go fanwl yn y ddau lyfr cyntaf yn y gyfres, felly wna i ddim ail-ddweud hynny oll yn rhy fanwl yma. Mae angen pwysleisio bod y rhan fwyaf o'r trafodaethau yn y llyfr hwn yn dod o drafodaethau ar y grŵp Facebook o'r enw *Iaith*. Erbyn hyn mae gennym dros 15,500 o aelodau, ac mae'n mynd o nerth i nerth gyda channoedd o bobol o bob cwr o'r wlad (ac o bellach) yn cyfrannu bob wythnos. Myfi sydd wedi sbarduno'r rhan fwyaf o'r trafodaethau trwy osod cwestiwn neu ddau yn feunyddiol. Daw'r rhain fel arfer o'r llyfrau safonol ar dafodieithoedd y Gymraeg, neu o nofelau. Mae llawer o unigolion hefyd wedi cyfrannu gan nodi geiriau neu faterion diddorol a ddaeth i'w sylw.

Mae nifer helaeth o resymau pam na ellir ystyried y llyfr hwn yn un cwbl wyddonol a'r pennaf o'r rheiny yw'r ffaith mai anecdotaidd braidd yw'r cyfraniadau. Mae hyn yn anochel wrth gwrs. Nid oes yma gysondeb o ran oedran na chefndir, ac weithiau ni lwyddwyd i sicrhau atebion o bob ardal. Serch hyn teimlaf fod casglu'r wybodaeth yn hanfodol gyda thafodieithoedd yn newid (ac yn edwino) yn gyflym a llawer iawn o waith yn aros i'w wneud. Mae cryn dipyn felly yn dibynnu ar bwy sy'n penderfynu cyfrannu i bob postiad. Ni bu ychwaith fodd i holi a stilio pob cyfrannydd, ond yr argraff a gaf i yw bod pawb yn gwbl agored ac yn onest ynghylch y geiriau a'r ymadroddion a nodwyd, a wir i chi mae yma gyfoeth rhyfeddol am amrywio a newid yn y Gymraeg. *Diolch o galon a diolch yn dalpe* i bawb a fu'n cyfrannu – eich gwaith chi yw hwn. Dim ond ceisio rhoi trefn ar bethau a wnes i, ac ychwanegu nodiadau pellach.

Cywiriadau

Un o nodweddion amlwg a chanmoladwy y llyfrau sydd wedi'u seilio ar y gyfres deledu QI (Quite Interesting) yw bod y llyfrau yn agor gyda chywiriadau i'r gyfrol flaenorol. Mae'n anodd canmol hyn yn ddigonol. Un o anawsterau mawr y byd academaidd yw bod cyhoeddiad yn aml yn ffosileiddio barn neu gamsyniadau, un ai'n ddamweiniol neu drwy anwybodaeth, ac yn hau hedyn ffactoid, a gall y rhain bara am genedlaethau. Prin mae unrhyw erthygl neu lyfr yn gwbl rydd o feiau neu o frychau. Gwahoddwyd cywiriadau i *AmrywIAITH 2*, ond ni ddaeth llawer. Efallai bod hynny oherwydd rhagoriaeth ysgubol y llyfr, neu efallai oherwydd na thrafferthodd neb i ateb. Byddai'n well gan fy ego yr ateb cyntaf, ond y gwir yw (er mor anodd yw derbyn beirniadaeth) fod cywirio a newid barn yn rhan greiddiol o'r broses academaidd. Felly unwaith eto, gwahoddaf sylwadau a chywiriadau.

Diolchiadau

Mawr yw fy niolch i'r cannoedd lawer sydd wedi cyfrannu sylwadau, rhai bron yn ddyddiol. Mawr hefyd yw fy niolch i'm mam (Eluned Lawrence), yn enwedig am iddi brynu *The Linguistic Geography of Wales* gydag arian gwobr o'r Coleg Normal. Bûm yn pori'n gyson yn hwn dros y blynyddoedd. Rhaid hefyd roi diolch anferthol i Dr Phyl Brake a Dr Iwan Wyn Rees am ddarllen dros ddrafft o'r gwaith a chynnig llu o welliannau a chywiriadau. Diolch hefyd i Geraint Løvgreen am ei waith penigamp yn prawfddarllen.

Llyfryddiaeth

Nodaf yma y prif lyfrau a gweithiau a ddefnyddiwyd. Maent yma rhag ofn y carai rhai ohonoch ymchwilio ymhellach a sicrhau bod rhyw goel ar yr hyn a honnaf. Os nad oes arnoch awydd turio'n ddyfnach, gobeithiaf y gallwch anwybyddu'r byrfoddau achlysurol sy'n digwydd yng nghorff y gwaith. Dylai'r rhain hefyd fod o ddiddordeb i bawb sy'n ymddiddori yn y Gymraeg a'i hanes.

AHD - WATKINS, C. 2000. *The American Heritage Dictionary of Indo-European Roots*, Boston, New York, Houghton Mifflin Company.
AMR – Archif Melville Richards. http://www.e-gymraeg.co.uk/enwaulleoedd/amr/cronfa.aspx
BILLE - JONES, B. L. 1987. *Blas ar Iaith Llŷn ac Eifionydd*, Llanrwst, Gwasg Carreg Gwalch.
BLITON – *Brittonic Language in the Old North* (Alan James, 2017) https://spns.org.uk/resources/bliton
CG - KOCH, J. T. 2020. *Celto-Germanic. Later Prehistory and Post-Proto-Indo-European Vocabulary in the North and West*, Aberystwyth, University of Wales Centre for Advanced Welsh and Celtic Studies. https://www.wales.ac.uk/Resources/Documents/Centre/2020/Celto-Germanic2020.pdf
CODEE - HOAD, T. F. 1993. *The Concise Oxford Dictionary of English Etymology*, *Oxford*, Oxford University Press.
DCCPN - FALILEYEV, A. 2010. *Dictionary of Continental Celtic Place-Names*, Aberystwyth, Cambrian Medieval Celtic Studies.
DLG - DELAMARRE, X. 2003. *Dictionnaire de la langue gauloise*, Paris, Éditions Errance.
DPNW - OWEN, H. W. & MORGAN, R. 2007. *Dictionary of the Place-names of Wales*, Llandysul, Gomer.
eDIL – *Electronic Dictionary of the Irish Language.* https://dil.ie/
EDL - VAAN, M. D. 2008. *Etymological Dictionary of Latin and the other Italic Languages*, Leiden - Boston, Brill.
EDPC - MATASOVIĆ, R. 2009. *Etymological Dictionary of Proto-Celtic*, Leiden & Boston, Brill.
EGOW - FALILEYEV, A. 2000. *An Etymological Glossary of Old Welsh*, Bonn, Niemeyer.

GDD - MORRIS, M. 1910. *A Glossary of the Demetian Dialect of North Pembrokeshire (With Special Reference to the Gwaun Valley)*, Tonypandy, Evans & Short.
GPC – *Geiriadur Prifysgol Cymru* http://welsh-dictionary.ac.uk/gpc/gpc.html
IEW - POKORNY, J. 1959. *Indogermanisches etymologisches Wörterbuch*, Bern. https://indo-european.info/pokorny-etymological-dictionary/index.htm
IPA – International Phonetic Alphabet
ISF - JONES, B. L. 1983. *Iaith Sir Fôn*, Dinbych, Llygad yr Haul.
LEIA - VENDRYES, J., BACHELLERY, E. & LAMBERT., P.-Y. 1959-. *Lexique étymologique de l'irlandais ancien*, Dublin, Dublin Institute for Advanced Studies.
LGW - THOMAS, A. R. 1973. *Linguistic Geography of Wales: Contribution to Welsh Dialectology*, Cardiff, University of Wales Press.
LlHG - FALILEYEV, A. 2016. *Llawlyfr Hen Gymraeg*, Caerfyrddin, Y Coleg Cymraeg Cenedlaethol.
LIV - RIX, H. 2001. *Lexikon der indogermanischen Verben*, Wiesbaden, Dr. Ludwig Reichert Verlag.
NDEH - DUBOIS, J., MITTERAND, H. & DAUZAT, A. 1971. *Nouveau Dictionnaire Étymologique et Historique*, *Paris*, Larousse.
NIL - WODTKO, D. S., IRSLINGER, B. & SCHNEIDER, C. 2008. *Nomina im Indogermanischen Lexikon*, Heidelberg, Universitätsverlag Winter.
NPC - DELAMARRE, X. 2007. *Noms de Personnes Celtiques dan L'Épigraphie Classique*, Paris, Éditions Errance.
OED – *Online Etymological Dictionary* https://www.etymonline.com
PNRB - RIVET, A. L. F. & SMITH, C. 1979. *The Place-Names of Roman Britain*, Cambridge, Cambridge University Press.
WVBD - FYNES-CLINTON, O. H. 1913. *The Welsh Vocabulary of the Bangor District*, *Oxford*, Oxford University Press. https://archive.org/details/welshvocabularyooofyneuoft/page/n1

Sumbolau

< > cyfeiria'r rhain at sut y caiff llythrennau neu eiriau eu hysgrifennu

/ / cyfeiria'r rhain at seiniau, o fewn sustem seinegol yr iaith

[ ] mae'r rhain yn nodi union ynganiad pob sain

* Cyfeiria'r asterisg at ffurf ddamcaniaethol, nad oes tystiolaeth uniongyrchol iddi.

Er enghraifft <esgidiau> ond /sgidja/ ym Môn a /sgidie/ yng Nghaerfyrddin. Petaem am fanylu ar union ynganiad y Rhondda gallem nod [sgitʃɑ̥]. Byddai'r olaf yn caniatáu i beiriant greu yr ynganiad yn bur gywir. Os oes arnoch eisiau ysgrifennu gan ddefnyddio'r sumbolau priodol mae'r wefan hon yn arbennig o dda - https://ipa.typeit.org/full/.

Os gwelwch linell hir uwchben llafariad, mae'n golygu ei bod yn hir e.e. *mānus*. Yn yr Wyddor Seinegol Ryngwladol defnyddir sumbol arall i ddangos bod llafariad yn hir, felly dyna a ddefnyddir rhwng //, e.e. /kaːn/, sef 'cân'. Felly dyna dri dull o ddangos bod llafariad yn hir. Defnyddir y cyntaf gyda'r iaith Ladin, ac fe'i cadwyd ar gyfer geiriau yn yr iaith honno.

Byrfoddau

PIE – Proto-Indo-Ewropeg (yr iaith y deillia'r Gymraeg, y Saesneg, y Gwrdeg, Lladin, Hindi, Groeg ac ati, ohoni).

Termau

acennog – lle disgyn yr acen bwys, e.e. *cynnig* ond *cynigiais*. Fel arfer mae'n disgyn ar y goben yn y Gymraeg.

affeithiad – lle ymdebyga un llafariad i un arall yn yr un gair e.e. *llanc* ond *llencyn*.

ansoddair – gair disgrifio, e.e. *mawr, anystywallt, pinc, dafyddapgwilymaidd*.

atalsain (ffrwydrolyn) – sain sy'n cael ei gwneud ag ychydig o ffrwydrad, e.e. *b, d, g, p, t, c*.

bannod – y gair 'y' neu 'yr', e.e. *y sosban, yr afon*. Dim ond bannod benodol sydd yn y Gymraeg. Yn y Saesneg ceir bannod benodol a bannod amhenodol *the obelisk, an obelisk*.

benywaidd – yn y Gymraeg ceir cenedl *benywaidd* a chenedl *gwrywaidd*. Mae ffurfiau benywaidd unigol yn treiglo ar ôl y (y ferch, y genedl), yn peri treiglad i ansoddair sy'n dilyn (cath fawr, gwlad gyfoethog) a defnyddir *dwy, tair* a *pedair* â nhw (dwy fam, tair cerdd, pedair afon).

berfenw – gair yn dynodi bod rhywbeth yn digwydd, e.e. *cysgu, drwgdybio, sgrechian*.

camrannu – Meddwl bod rhaniad mewn ymadrodd mewn lle gwahanol i'r lle hanesyddol, e.e. yn Saesneg '*a nadder*' (cf. neidr) yn troi'n 'an adder'.

cenedl – *benywaidd* a *gwrywaidd* mewn gramadeg. Dwy genedl sydd yn y Gymraeg, e.e. *y ddynes* ond *y dyn, dwy lori* ond *dau gar*.

cyfansoddair – gair wedi'i wneud o fwy nag un gair e.e. *cyfansoddair* (cyfansawdd+gair), *hirben* (hir+pen).

cynffurf – hen ffurf ar air. Ffurf ddamcaniaethol yw wedi'i seilio ar ei gymharu ag ieithoedd eraill, tystiolaeth fewnol iaith, hen arysgrifau, ffurfiau a fenthyciwyd o ieithoedd eraill ac ati, e.e. **damatā* am *dafad*. Nodir y rhain ag asterisg *.

cytras – o'r un tarddiad, e.e. *cath* yn y Gymraeg a *kazh* yn Llydaweg, neu *finistra* (Eidaleg) a *fenêtre* (Ffrangeg).

dadfathiad – Y broses o wneud y naill o ddwy sain debyg mewn gair yn fwy gwahanol i'w gilydd e.e. *camfa > camdda*. Mae <m> a <f> yn seiniau a wneir mewn safleoedd agos yn y geg. Seiniau gwefusol ydynt.

deuol – mewn nifer o ieithoedd ceir *unigol, lluosog* a hefyd *deuol*. Mae
hwn fel arfer yn cyfeirio at bethau sy'n digwydd mewn parau fel *llygaid,
coesau*. Gwryw yw *dau*, wrth reswm, ond mae hefyd yn ddeuol, ac mae'r
rhif deuol yn treiglo yn y Gymraeg, ac yn peri treiglo, *y ddau ddyn*.

deusain – sain sy'n cynnwys dau lafariad mewn un sillaf, lle bo un yn
symud tuag at y llall, e.e. *aw, ei, wy, we*.

diacen – yn disgrifio sillaf sydd ddim yn dwyn acen o bwys. Fel arfer, ar
y goben y mae'r acen bwys yn y Gymraeg, felly mae'n symud os
ychwanegir sillaf at y diwedd e.e. *colled, colledion*. Mae'r sillafau eraill
felly yn ddiacen.

dileisio – Mae rhai seiniau yn lleisiol, e.e. *b, d, g*, h.y. mae rhyw hymio yn
y gwddf wrth eu gwneud. Y ffurfiau di-lais cyfatebol yw *p, t, c*. Dan rai
amgylchiadau bydd yr hymio hwn yn peidio, a dyma yw 'dileisio' e.e. *tad*
ond *ei that hi* mewn llawer o dafodieithoedd. Er mai hyn a ddywed y
llawlyfrau, mae'n ymddangos nad gwahaniaeth mewn llais sydd yma ond
gwahaniaeth mewn 'anadlu caled', h.y. /p/, sef <b>, yn cyferbynnu â /pʰ/,
sef <p>.

ffrithiol – 'fricative', yn disgrifio sain lle mae cyffyrddiad ond bod y sain
cael ei chreu heb ffrwydrad, h.y. sain y gallwch ei hynganu yn hir, fel *ch,
dd, th, ff, f*.

glòs – gair neu nodiad wedi ei sgrifennu ar ymyl tudalen neu rwng y
llinellau i egluro rhywbeth yn y testun.

goben – y sillaf olaf ond un e.e. *sillaf, sillafau*.

gorgywiro – meddwl bod rhywbeth yn anghywir pan nad yw, a'i gywiro
yn ddiangen, e.e. tybio mai ffurf anghywir o *llef* yw *lle* ac adfer (camadfer
mewn gwirionedd) yr *f* yn y lluosog *llefydd*.

gwefusol – yn disgrifio seiniau a wneir â'r gwefusau e.e. *p, b, ff, f, m*.

isoglos – llinell sy'n dynodi terfyn daearyddol (weithiau amseryddol)
nodwedd ieithyddol neilltuol. Mae isoglos rhwng *nawr* a *rŵan* ychydig
i'r de o Afon Dyfi.

lluosill – yn cynnwys mwy nag un sillaf, e.e. *dafad, cyfrifiadur,
Pwllgwyngyll*.

lluosog – yn cyfeirio at fwy nag un, e.e. *defaid, tai, cysgodion, afalau*.

orgraff – y ffordd o sillafu geiriau, e.e. yn orgraff y Wladfa defnyddid v
yn aml, e.e. *Y Wladva*.

rhagddodiad – geiryn bach sydd ddim yn digwydd ar ei ben ei hun, ond
y gellir ei roi o flaen gair arall i ffurfio gair newydd, e.e. *di-* yn *diniwed,
gor-* yn *gorfwyta, an-* yn *annymunol*.

16

terfyniad – geiryn bach sydd ddim yn gwneud synnwyr ar ei ben ei hun ond y gellir ei roi ar ddiwedd gair arall i newid yr ystyr e.e. *gwisg - gwisgo, banana - bananas, meddw - meddwol.*

trawsosod – sain yn newid lle mewn gair e.e. *pyrnu* am *prynu* ym Môn a Morgannwg.

ymwthiol – sain sy'n ymddangos rhwng clwstwr o seiniau a all fod yn anodd eu hynganu, e.e. *pobl > pobol, llyfr > llyfyr.*

ynganiad – *pronunciation*, y ffordd y caiff gair ei ddweud.

18

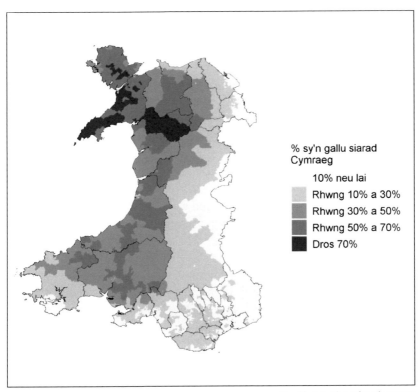

% sy'n gallu siarad
Cymraeg

10% neu lai
Rhwng 10% a 30%
Rhwng 30% a 50%
Rhwng 50% a 70%
Dros 70%

Hawlfraint: Llywodraeth Cymru

Cyn inni fentro ar drafod ein hiaith, byddai'n werth inni ein hatgoffa ein hunain am ba mor eang y'i siaredid ychydig yn ôl. Gyferbyn mae map o'r cyfnod pan anwyd rhieni fy nain (tua 1880), ac mae rhai yn eu cofio o hyd. Hyd yn oed heddiw mae modd cael gwybodaeth dafodieithol o'r rhan fwyaf o'r ardaloedd hyn. Yr unig ardaloedd lle na chafwyd atebion oedd cymoedd y dwyrain a Bro Morgannwg.

Geirfa

Achwyn (WVBD 6/442) & sbragio, prepian, chwidlo

Yn fras mae tri ystyr i'r gair hwn. Yn y De gall olygu *cwyno*, ac o'r gair hwnnw y daw. Gall hefyd olygu *dioddef o boen neu dostrwydd* (canol a de Cymru), ac mae llawer yn nodi mai dyma'r prif ystyr.

Yn y Gogledd-orllewin mae *achwyn* yn golygu rhywbeth fel *'to tell tales, to snitch'*, fel pan fydd rhywun yn dweud wrth athrawes / athro mai un arall o'r disgyblion sydd wedi sgrifennu pethau drwg ar y bwrdd du pan oedd hi allan. Gellid dweud *Mae'r plant yn achwyn, y naill ar y llall* neu *Peidiwch achwyn arno fo,* sef *'don't split on him'* (WVBD). Yn Sir Gaernarfon dywed rhai *Gei di frechdan fêl am achwyn,* a nodwyd hyn dros gan mlynedd yn ôl yn ardal Bangor. Rhyw feirniadaeth fach am gwyno yw, sy'n tynnu sylw at y ffaith bod elfen annymunol yn perthyn i'r weithred. Yn Arfon nododd un athrawes ei bod hi'n casáu plant yn achwyn, a byddai hi'n dweud y caent 'gynffon goch' am wneud. Yn Waunfawr (Gwynedd) byddai plant yn llafarganu *babi achwyn, babi achwyn* ar blentyn a fyddai'n gwneud hyn. Yn ôl GPC yr ynganiad ym Mhen Llŷn yw *achwn,* ond ni nododd neb hwnnw.

Prepian a nodwyd yn ne Sir Ddinbych am *'to snitch'.* Mae hwn yn gyfarwydd yn ardal Bangor hefyd, ond yma mae'n fwy tebygol o olygu swnian *Paid â prepian o hyd am frechdan, Mae o [plentyn] wedi dŵad i brepian pob peth* (WVBD 442). Gellid dweud mai *hen brep garw* (sneak) yw rhywun sy'n gwneud hyn. *Chwidlo* a ddywedir yng ngogledd Môn, a *clapian* ym Sir Gâr. Mae *sbragio* (o'r Saesneg) yn gyffredin hefyd yn Arfon. Nododd un ei fod yn 'cofio *sbragio* yn Ysgol Dyffryn Nantlle ers talwm, ac *achwyn*' ond mai gair oedd hwnnw 'i'r athrawon a'r Welsh Nashes'. Mae *achwyn* a *prepian* yn gyfarwydd ym Mhennal ger Machynlleth.

Cofiwch fod dau ystyr yn y De. Yn ardal Llambed, mae *achwyn* yn gallu golygu 'dioddef (o salwch)' yn ogystal â 'cwyno'. Dyma un enghraifft a nodwyd gan Phyl Brake: *Ma na lot sy'n achwyn o 'blood pressure'.* Mae'n ymddangos bod yr ystyr hwn yn gyfarwydd ym Mhenllyn hefyd, lle gellir dweud *mae hi'n achwyn* pan fo rhywun yn sâl. Cawsom enghreifftiau o'r ddau ystyr yng Nghwm-gors: *O'dd Twm yn achwyn am y tywydd,* a hefyd er mwyn cyfleu poen corfforol *Ma'n gefen i'n achwyn 'to* (diolch Cerith). Felly hefyd ym Mancffosfelen: *Pobol yn conan ond mae'r cefen / ysgwydd yn achwyn.* Yng Nghwm-gwaun nodwyd y tri ystyr: Rhywun yn dioddef o ddolur e.e. 1) *Mae e'n achwyn gyda'i benglinie ers blynydde'* 2) *Wnes i achwyn*

20

i'r council; 3) Siarad yn wael, e.e. *Mae'r hen sgithan yn achwyn am bawb a phopeth.* Mae GPC yn nodi dau ystyr yn Nantgarw, sef cwyno *Un fudur i achwn yw Meri ni,* a hefyd yr ystyr 'cwyno oherwydd afiechyd', fel ag yn *achwn ar 'i frest, achwn am fod 'i anal mor fyr* (GTN 42). Yn Nhre-boeth gellir dweud bod rhywun yn *achwyn ei gŵyn.* Yn ei lyfr hynod *Geirfa'r Glöwr* mae Lynn Davies yn nodi y'i clywid yn ffigurol hefyd, e.e. am 'y sŵn a wnâi post wrth ildio dan bwysau'r top' (GG 67).

Yng Nghwm Tawe yr ynganiad yw *ychwyn* ac [ˈäχwɪn] yn ardal y Rhigos. Nododd cyn-ddysgwr mai *achwyn* ydy'r gair a gyflwynir yn *Teach Yourself Living Welsh* gan T. J. Rhys Jones, yn hytrach na *cwyno.* O'r Saesneg '*to wheedle*' y daw *chwidlo.* Does neb yn gwybod o ble daw *cwyno,* ond mae GPC yn cymharu â'r Llydaweg Canol '*queinyff*' a'r Hen Wyddeleg '*cóinim*'. Mae'r gyfatebiaeth â'r Hen Wyddeleg yn afreolaidd ond mae'n bosibl iddo ddod o Hen Gymraeg pan yngenid y gair fel 'coin'. Aeth y gair Gwyddeleg hwn i'r Saesneg a dyna sut y cawn y gair '*keening*', pan fo pobl yn wylo'n uchel dros yr ymadawedig.

Anfadwch – anhwylder (BILLE 30)

Gair yw hwn am ryw anhwylder sydd ddim yn rhy ddifrifol, fel annwyd efallai. Dim ond yn y Gogledd-orllewin mae'n gyfarwydd. Yr ynganiad yn Llŷn yw *nyfadwch* (BILLE 30), ond nodwyd *nfadwch, afadwch* a *fadwch* yn yr ardal hefyd. Trawsosod yw'r term am symud sain mewn gair (e.e. *pyrnu* am *prynu* mewn rhai ardaloedd). Ym Môn sonnir am *ryw fadwch.* Nododd un o Ddyffryn Nantlle eu bod yn dweud *cam-hwyl* am hyn.

Mae *anfadwch* yn air dipyn hŷn, a thipyn mwy diddorol nag y byddai rhai yn tybio. Gadewch inni gychwyn gyda'r bôn, sef y gair *mad,* un sy'n treiglo'n feddal ar ôl y rhagddodiad negyddol *an-.* Yr ystyron a nodir gan GPC ar gyfer *mad* yw 'ffodus, ffortunus, lwcus, dedwydd, da', ac mae'n debyg eich bod yn gyfarwydd ag ef yn 'Hen Wlad fy Nhadau' pan fyddwn yn bloeddio canu

> Ei gwrol ryfelwyr, gwladgarwyr tra **mad**
> Dros ryddid collasant eu gwaed.

I'r rhai ohonoch sydd wedi dysgu rhyw bytiau o Wyddeleg neu Aeleg yr Alban mae'r bur debyg y byddwch wedi dod ar draws y gair yno, sef *math,* eu gair arferol nhw am 'da'. Er enghraifft, byddant yn dweud '*oidhche mhath*' am 'nos da'. Sut, yn eich barn chi, y bydd pobol Gaeltacht Gallimh

21

(Galway) yn ynganu hwn? Meddyliwch amdano am eiliad. Wel, mae'n swnio fel *îy wa*, sef /iː ˈwa/ yn yr IPA (Yr Wyddor Seinegol Gydwladol). Y rheswm am hyn yw bod i'r iaith Wyddeleg draddodiad ysgrifenedig hir iawn. Ond bu i ynganiad yr iaith newid yn ysgytwol dros y mil tri chant o flynyddoedd diwethaf. Mae hyn yn gyffredin mewn ieithoedd sydd â thraddodiad ysgrifennu cynnar sydd heb gael ei ddiwygio'n drylwyr dros y blynyddoedd. Mae'n digwydd hefyd yn eu dull hwy o ddweud diolch, sef *go raibh maith agat.*

Mad hefyd yw'r gair arferol am 'da' yn y Llydaweg, e.e.

Da Vrezoneg a zo mad.   (Mae dy Lydaweg yn dda)
'Dy Frythoneg a sydd mad'

Mad eo?   (Mad yw?)
'Pa hwyl?'

Y gair croes i *mad* yw *anfad*, ac o hwn y daw *anfadwch*. Mae ei ystyr yn fwy difrifol yn ôl GPC, sef 'drwg, drygionus, ysgeler, erchyll, enbyd, ofnadwy, arswydus.' Mae'n debyg bod ystyron Cymraeg Canol yn cyferbynnu *mad* ag *anfad*, gan gyfeirio at bobl a anwyd yn ffodus neu'n lwcus. Efallai bod rhai ohonoch yn gyfarwydd â chalendr enwog Coligny (o'r gair Celteg am 'celyn') yn Ffrainc heddiw. Calendr 'Celtaidd' rhyfeddol yw, o'r cyfnod ar ôl i'r Rhufeiniaid oresgyn Gâl (ac eithrio un pentref bach yn Llydaw!). Plac anferth, toredig o efydd yw ac mae'n feistrolgar yn ei driniaith o'r blynyddoedd. Un peth diddorol yw ei fod yn aml yn nodi dyddiau gyda *MATU* ac *ANM*, ac mae'r rhain yn cyfateb i'n *mad* ac *anfad* ni. Byddai'r Galiaid felly wedi bod yn gyfarwydd â *mad* ac *anfad* hefyd. *Mad* sydd wrth wraidd yr enw personol *Madog.*

O ran ei darddiad, un cynnig yw ei fod yn perthyn i'r geiriau Lladin '*mānus*' (da) a '*mātūrus*', a hwn a roddodd '*mature*' yn Saesneg. Un peth diddorol a wnâi'r Celtiaid oedd ynganu cytsain yn hir, fel yn yr Eidaleg heddiw. Er enghraifft dywed Eidalwyr *cotto* 'wedi'i goginio'. O wneud hyn gyda **matu-* caem **mattu-*, ond yn hytrach na rhoi *d* yn y Gymraeg, mae'r '*geminate*' (cytsain ddwbl neu hir) hwn yn rhoi *th*. Digwydd yn aml mewn enwau personol, efallai i wneud iddynt swnio ychydig yn fwy anffurfiol. Mae'n bosibl felly i'r enw Math (fab Mathonwy) ddod o hwn. Mae llawer yn ynganu'r enw hwn yn anghywir, gydag *a* fer. Y gwir yw y dylem ei ynganu fel *math*, gydag *a* hir.

Felly dyna ni, mae *'fadwch* yn perthyn i hen, hen air Celteg sy'n digwydd ar galendr efydd o ddwy fil o flynyddoedd yn ôl, i'r enw Madog a hefyd i *mature*.

Asthma (WVBD 386, GDD 127)

Yn y De y gair arferol yw *y fogfa*, ond cafwyd *mociant* ym Mlaenau Morgannwg. Nododd rhai yn y Gogledd fod *y fogfa* hefyd yn gyfarwydd, ond tybed ai o Gymraeg safonol y daw. Y ffurf arferol yn y Gogledd (Dyffryn Conwy, Trawsfynydd) yw *mygni* (WVBD 386), ond y ffurf fwyaf cyffredin o bell yw *myctod*. Yn Llanddewi Brefi gellir sôn am *tyndid anal* (anadl), ac yn y De-orllewin gall rhywun fod yn *bring o anal*. Gall Gogs ddweud eu bod yn *teimlo'n fyglyd* (Porthaethwy), neu fod *y frest yn dynn* neu'n *gaeth*. Ym Mhen Llŷn gellir dweud bod rhywun yn *fwglyd*. Mae sôn am *asma* hefyd yn gyffredin ledled y wlad.

Amrywiad ar *mygu* yw *mogi*, a daw'r ddau o'r gair *mwg*. Daw hwn o PIE **smeug-*, ac mae'n gytras â '*smoke*' yn y Saesneg. Yn y Frythoneg collwyd y sain *s* yn **sm-* a **sn-*.

Mae *asma* wedi hen ennill ei blwyf yn y Gymraeg, ond mae'n amlwg mai o'r Saesneg y daw. Y sillafiad yn y bedwaredd ganrif ar ddeg yn y Saesneg oedd *asma*, a daw o'r Lladin *asthma* sy'n air Groeg. Daw hwn o '*azein*' (anadlu'n galed), ac mae'n debyg ei fod yn perthyn i'r gair '*anemos*' (gwynt) o'r gwreiddyn PIE **ane-*. Os felly, mae'n perthyn i'r geiriau Cymraeg *anadl* ac *enaid* (< **anatjo-*), ac i'r Lladin *animus* (ysbryd, meddwl) a roddodd *animate* yn y Saesneg. Dim ond yn yr unfed ganrif ar bymtheg yr adferwyd yr *th* yn y gair *asthma*, ond mae'r ynganiad wedi aros yn ddigyfnewid, sef '*asma*'.

Felly mae *mogfa* a *mygni* yn perthyn i'r gair Saesneg '*smoke*', ac mae '*asthma*' (mae'n debyg) yn perthyn i *enaid* ac *anadl*.

Atebion Anarferol o'r Gogledd-ddwyrain (ISFf 260)

Dyma a nodwyd gan athro prifysgol: Ym mhentref fy nhad, Rhosllannerchrugog, yn yr iaith lafar, atebir rhai cwestiynau (ac ategir rhai yn gadarnhaol neu yn negyddol) yn y trydydd person unigol bob tro, waeth pa berson y gofynnir y cwestiwn iddo. Y ffurfiau berfol dan sylw yw'r gorffennol amherffaith, y dyfodol, yr amodol, a gorffennol arferiadol y ferf 'bod' yn unig. Nodwch yr enghreifftiau canlynol:

Oeddech chi'n gweithio ddoe? Oedd / Nag oedd (nid 'oeddwn / nac oeddwn');

Fyddwch chi yma fory bore? Fydd / Na fydd (nid 'byddaf / na fyddaf'); sylwch y treiglad 'Fydd'.
Baset ti'n leicio mynd ene eto, yn' base? (nid 'oni fuaset')
Oedden nhw'n gwbod nene'n barod, yn'd oedd? (nid 'yn'd oedden').

Cofnodwyd hyn yn Sir y Fflint yn ogystal, yn Licswm, Treffynnon a Bodfari ond nododd un a gafodd ei magu yn y sir na chlywsai hyn erioed. Dichon felly mai rhywbeth a ddywedid gan y to hŷn yw. Yn hyn o beth mae'r Gymraeg wedi cymhlethu ei hunan rywfaint. Nododd aelod hefyd iddi hi glywed hyn gan gyd-weithiwr benywaidd o Ddinbych.

Babŵns

Nage, nid sôn am y mwncïod sydd yma, ond gair arall am *frwyn* yw hwn. Efallai bod rhai ohonoch yn cofio'r hen Wali Tomos (heddwch i'w lwch) yn nodi wrth Mr Picton mai *bambŵns* y byddai pandas yn eu bwyta. Rhyw ddrysu gyda'r planhigyn '*bamboo*' sydd yma, ond mae *babŵns* yn air Cymraeg dilys, ac un sy'n hysbys o Fôn i Flaenau Ffestiniog. Sut felly? Steffan ab Owain sy'n egluro mai ffurf ar *babŵrs* yw hwn sydd, yn ei dro, yn dod o *pabwyr*. Beth meddech chi yw *pabwyr*? Wel, dyma'r gair am '*wick*' cannwyll, a rhai canrifoedd yn ôl fe'u gwneid o frwyn. Mewn gwirionedd, y stribed gwyn hir y tu mewn i frwyn yw'r *pabwyr*. Gan mai yn y ffurf noeth hon y gwelai llawer y brwyn, daeth *pabwyr* yn air cyffredin am y brwyn ei hun. Felly trodd *pabwyren* yn (*y*) *babwyren* (y ffurf dreigledig). Wedyn cafwyd rhywbeth fel *babwyrs*, gyda'r terfyniad lluosog Saesneg. Symleiddwyd y ddeusain *wy* yn *ŵ* gan roi *babŵrs*, ac yna (am ryw reswm) cawsom *babŵns*. O ran *r* yn troi'n *n* gallem gymharu â *drôr(sys)* (drawers) > *drôn(sys)*, a hefyd *cnebrwn(g)* > *crebrwn(g)*.

O air Lladin llafar hwyr y daw hwn, sef **papērus*, a daw hwn o *papўrus* mewn Lladin clasurol. Hwn, wrth gwrs a roddodd y gair Saesneg '*paper*', gan mai o frwyn y câi papur ei wneud yn wreiddiol. Ffurf Saesneg Canol ar y gair yw '*papur(e)*' a '*papir(e)*', ac o hwn y cawsom ni'r gair *papur*. O air Groeg, fel llawer o eiriau Lladin, y daeth hwn, ond ni ŵyr neb o ble cafodd y Groegiaid y gair.

Dywed GPC wrthym fod *bwyren* ar lafar yn Edeyrnion, lle dywedir *yn syth fel bwyren*. Yn Arfon cawn *pabwyr* a'r ffurf unigol *boeran* 'soft rushes ... used for rush-lights', 'cyn sythed â boeran, fel boeran o syth'. Clywir hefyd *pabwr o ddyn*, '*a weak man*' (WVBD 411). Mae rhan gyntaf *pabwyren* wedi'i golli oherwydd nad oes acen arno, fel *ysgolion* yn troi'n *sgolion*.

24

Mae'n ddigon posibl hefyd mai cael dwy *b* yn agos at ei gilydd a barodd i un gael ei cholli. Y gair am y broses hon yn y Saesneg yw *haplology*. Digwydd *pabwyryn* yn Ngogledd Ceredigion mewn ystyr lled ddirmygus am rywun eiddil o gorff, *Siŵt gath ryw babwyryn fel'na wraig mor fawr, gweda?*

Cawsom stori fach ddifyr gan Rory Francis sy'n byw ym Mlaenau Ffestiniog - 'Roedden ni'n trafod cyflwr y cae pêl-droed ym Manod, a dyma un o'r cynghorwyr yn cyfeirio at y babŵns oedd yn ymledu o ochrau'r cae. Wedyn, naeth rhywun arall gyfeirio atyn nhw. Yn y diwedd nes i holi beth oedden nhw'n feddwl. Roedd pawb arall yn deall yn iawn ond finnau!' Cawsom hefyd ein hatgoffa am y llinell gynganeddol 'pabwyr yn lle pobol' sy'n rhan o araith un o arweinwyr y streic yn y nofel *Chwalfa* (T. Rowland Hughes). Cyfeirio mae at y bradwyr, a oedd yn plygu yn y gwynt, fel y planhigyn hwn.

Rhoddodd Beryl Williams hanesyn bach difyr arall inni, o Dre-fach Felindre. 'Yn y gorllewin bydde nhad a ninne blant wastad yn ynganu'r gair pabwyr fel 'papwr'. Bydde nhad yn troi gole'r lamp i lawr dipyn er mwyn, yn ei ôl e, arbed y pabwr. Ni wedodd e erioed ei fod yn arbed paraffîn. Rwy wedi clywed babŵns gan mamgu fe dybiaf achos bydden ni blant yn casglu brwyn iddi i'w plethu i wneud *rattle* frwyn i ni.' 'Calediad Morgannwg' sy'n gyfrifol am *pabwr > papwr*, a chyffredin yno hefyd yw *w* am *wy* mewn sillaf ddiacen (*pabwyr > pabwr*).

Felly dyna ni, mae *pabwyr*, *babŵns* a 'papyrus' a *papur* yn y pen draw yn dod o'r un gwreiddyn.

Banana

Holwyd am genedl y gair *banana*, h.y. ai benywaidd ynteu wrywaidd yw. Y farn gyffredin, o Gwmtawe i Amlwch, yw mai benywaidd yw. Dim ond ambell i eithriad a gafwyd yma ac acw. Felly *y fanana* a *dwy fanana*. Dim ond yn 1800 y digwydd y gair mewn print am y tro cyntaf yn y Gymraeg, yn yr *Eurgrawn Wesleyaidd*. Un o'r cylchgronau enwadol Cymraeg niferus oedd hwn, ac fe'i cyhoeddwyd ar ryw ffurf rhwng 1808 a 1983.

Mae'n anodd bod yn siŵr pam y daeth yn fenywaidd, ond efallai bod i'r sain a ryw naws fenywaidd. Nododd sawl un y bathiad dychmygus *ffrwchnedd*, ac mae hwn yn weddol hysbys fel gair smala, ond nid yw'n digwydd yng *Ngeiriadur Prifysgol Cymru*. O'r Saesneg y daw *banana* wrth gwrs, a dim ond yn y 1690au y digwydd ar glawr am y tro cyntaf yn yr iaith honno. Mae'n debyg ei fod yn dod o un o ieithoedd gorllewin Affrica, efallai o'r iaith Wolof.

Beibl i bawb o bobl y byd (cynghanedd groes gytbwys acennog)
Holwyd am ymadroddion Beiblaidd a oedd ar lafar o hyd. Er bod ein capeli
yn cau, yn cael eu troi'n AirB&Bs, yn dai haf neu'n araf ddadfeilio'n
furddunod llaith a mwsoglyd, erys cryn dipyn o ymadroddion yn yr iaith
lafar. Yn wir, fel y gwyddoch, bu'r Beibl yn ddylanwad mawr ar yr iaith
Gymraeg. Heb gyfieithiad William Morgan yn 1588 mae'n anodd gweld sut
y byddai'r iaith wedi goroesi wedi iddi gael ei hesgeuluso gan y bonedd.

Dychmygwch eich bod ar fin gadael er mwyn mynd i barti mawreddog.
Dim ond *perthyn yn Adda* (yn bell iawn) ydych chi i'r gwahoddwr, a
gwyddoch o brofiad nad yw ef a'i wraig bob tro yn bobol hawdd. Ond
rydych yn awyddus iawn i weld y tŷ newydd. Dywed'soch yn frwd wrth y
gŵr y byddai yno lawer o westeion hwyliog a byddai rhaid *porthi'r pum mil*,
a'u bod am *ladd y llo pasgedig* er mwyn dathlu dychweliad y mab o Seland
Newydd, gyda'i wraig. Er hyn rydych chi'n poeni braidd am y math o bobol
a fydd yno. Nododd un y byddai'r taid (tad-cu) gorhwyliog yno hefyd, er
ei fod yn *hen fel Methiwsela.* 'Fydd raid imi wisgo siwt a thei?' meddai'r gŵr.
'Na fydd siŵr!' atebwch. 'Ond mae'r gwahoddiad yn dweud inni wisgo'n
gall.' 'Paid â phoeni, tydi hi ddim yn *ddeddf y Mediaid a'r Persiaid*! Ymlacia.'

Clywsoch hefyd fod gwraig y gwahoddwr yn *dipyn o Jezebel.* Yn wir
mae'n teimlo braidd fel mynd i *ffau'r llewod.* Doedd ar y gŵr ddim gronyn
o awydd mynd, ac rydych yn ei gyhuddo o fod yn *stwbwrn fel asyn Balam.*
'Ti sy'n Fartha Drafferthus am godi'r fath helynt', meddai. Rydych yn
bygwth mynd ar eich pen eich hun ac yn gwylltio. 'Twll dy din di Pharo,
ma'r môr coch wedi cau!', meddech, wedi cynddeiriogi a mynd am y car.
'Aros, iawn, mi ddo i' meddai'n anfoddog. 'Brysia felly, neu byddwn yn
aros tan Ddydd y Farn'. 'Brysia di,' yw'ch ateb '*ymlaen mae Canaan*, bydd
Gwenno yno'. Ar hynny mae'r gŵr yn newid ei agwedd yn llwyr, fel petai
wedi cael profiad *ffordd i Ddamascus.*

Wyddoch chi ddim mewn gwirionedd pam y cawsoch wahoddiad, ond
rydych yn amau mai tipyn o *Samariad trugarog* yw'r gwahoddwr. O'r
diwedd rydych yn cyrraedd y tŷ gogoneddus ystafellog, ar ôl i'r gŵr *yrru fel
Jehu* rhag bod yn rhy hwyr yn cyrraedd. Mae'r ardd yn llawn o hen, hen
daclau yn hen fel *rhaw Adda.* Cyn mynd i ganol y dorf mae angen ymbincio
wrth gwrs yn y drych bach. 'Mae angen *amynedd Job* hefo ti' meddai ond
wrth nesáu at y drws ffrynt clywch y miri a'r twrw miwsig yn diasbedain o
gwmpas yr ardd, ac yno trwy'r drysau gwydr gwelwch luoedd yn dawnsio.
Mae nifer o wynebau cyfarwydd o'r gymdogaeth yno yn gorfoleddu.

Mae'r gŵr yn estyn am fotwm y gloch ac yn ei wasgu, ond wrth reswm does neb yn clywed. '*Curwch ag fe agorir i chi*', meddech. Ac yn wir ichi, ar ôl pwl o guro egnïol, daw rhywun i'r drws ac i mewn â chi. 'Ond mae *fel Gehena* yno. Mae'r tŷ'n flêr *fel tŷ Jeroboam* yn llawn *Philistiaid* anwar!' meddai'r gŵr. Mae'n dywyll fel bol buwch ar wahân i'r goleuadau sy'n fflachio. '*Bydded goleuni*,' meddech chi yn smala. Ychwanega'r gŵr fod y tŷ'n flêr braidd: ar y gorau cawsai *slemp Ffariseaidd* cyn i'r dorf gyrraedd. '*Paid ag wylofain a rhincian dannedd*,' meddech chi gan weld potensial hwyl yn y lle. 'Y *Jiwdas*,' medda fo. '*Ti'n gyfrwys fel sarff* yn sôn am Gwenno'. Y gwir yw y gwyddech na fyddai yno, ond *cysur Job* yw hynny pan welwch fod dwy o'i hen gariadon eisoes yno. Yn sydyn gwelwch y mab o Seland Newydd, sy'n hen ffrind ac yn *halen y ddaear*, a'i wraig newydd, ac fe'u cyfarchwch gan gloi'r sgwrs â *Bydded ichi ddoethineb Solomon, amynedd Job, a phlant Israel.* Gwaetha'r modd, wrth i'r noson fynd yn ei blaen daw'n amlwg bod y gwesteion braidd yn rhy hoff o lowcio poteleidiau o win, ac mae rhai yn dechrau ymddwyn yn afreolus. Yn y gornel mae un a lanwodd ei fol â gormod o gwrw rhad, ac mae golwg *glyn cysgod angau* arno ac mae'n amlwg nad yw'n un sy'n arfer dilyn y *llwybr cul*. Aiff pob dim o ddrwg i waeth. 'O'r nefoedd fawr a nefi blw,' medd y gŵr, '*mae'n Uffern ar y ddaear yma, Sodom a Gomora*' gyda hen un diflas yn dechrau galaru dros ei fywyd carwriaethol anobeithiol. *Pawb â'i groes* meddyliwch. Ond wedyn, *fel manna o'r Nefoedd* daw'r gwahoddwr i'r ystafell gyda llond hambwrdd o ddanteithion amheuthun, llawer gwell na'r *cibau moch gwreiddiol.*

Ar hynny daw Rhys, eich cariad cyntaf, atoch a'ch gwadd yn awgrymiadol i ymuno yn yr hwyl. Rydych yn sibrwd yng nghlust y gŵr sy'n rhythu'n genfigennus arnynt '*Da was, da a ffyddlon. Mawr fydd dy wobr yn y nefoedd*'. Mae'n parhau i swnian, ond atebwch y dylai ystyried *y trawst yn ei lygad ei hunan cyn edliw'r brycheuyn yn llygad ei frawd*! I ffwrdd â chi i'r hwyl ac yntau'n syllu'n syn cyn troi i lygadu Morfudd. *Esgyrn Dafydd, digon i'r diwrnod ei ddrwg ei hun* meddyliwch. Rydych yn amau bod *yr ysgrifen ar y mur*. Wel, ta waeth, *Haleliwia ac Amen.*

Cachwr, cachgi (**WVBD 234**)

Beth fyddwch chi'n ei ddweud am '*coward*'? Y gair mwyaf cyffredin yw *cachgi*, ond mae *cachwr* yn gyffredin iawn hefyd. Nododd sawl un yn y Gogledd fod *cachwr* yn fwy o gyhuddiad ar ôl tro sâl. Cafwyd hyn mewn ambell fan arall hefyd. Yng Nghwm Gwaun nodwyd bod *cachgi/cachgast* yn golygu 'rhywun heb asgwrn cewn' tra mai *cachwr* oedd rhywun a wnâi 'strocen wael i rywun arall'.

Gair arall am *slei a dan-din* yw *cachwraidd*. Ym Môn nodwyd y gall rhywun *gachgïo*. Yn y Gogledd-orllewin dywedir *iacha' croen, croen cachgi*, ac yn y De, *iach yw pen cachgi*. Yn Aberaeron nodwyd y lluosog dwbl *cachgwns*. Nododd rhai yn y De fod *cachgast* a *cachast* ar lafar am un fenywaidd. Yr ail, gyda threiglo *gast*, fyddai'r ffurf rheolaidd. Dim ond yn Llandeilo y nodwyd y gair *bredych* (CELlDA 329) am hyn. Yn y Rhondda nodwyd *llwfryn* yn ogystal, ac mae GPC yn nodi *llwrf* (gyda thrawsosodiad) yn Sir Ddinbych. Roedd y gair *cilgi* (o *cilio*) ar lafar ym Mlaenau'r Cymoedd (BIBC 19), ond ni nododd neb ei fod yn gyfarwydd o hyd. Roedd yna ddywediad gynt, yn nhafodiaith hyfryd y Wenhwyseg (Y Rhondda) *Ma crôn iêch gita cilgi*.

Dim ond yn 1725 y nodwyd y gair *cachgi* am y tro cyntaf. Creadur digon urddasol oedd y *ci* i'r hen Gymry, ac roedd yr elfen yn gyffredin iawn mewn enwau personol fel Cynan, Cyndda, Cynhaearn, Cynfael (Afon Gynfal) a Maelgwn (y ddau olaf gyda'r un elfennau ond mewn trefn wahanol). *Cyn-* yw'r ffurf sy'n digwydd yn rhan gyntaf geiriau, fel *cynllwst* 'kennel' a *cynllyfan* 'leash'. Dim ond yn weddol ddiweddar y daeth agweddau negyddol i'r gair *ci*, ac efallai bod hyn dan ddylanwad y gair Saesneg 'dog'. Mae *ci* a *cyn-* yn Gymraeg yn cyfateb yn nes i 'hound' yn y Saesneg. Efallai bod yr haneswyr yn eich mysg yn gyfarwydd â *Cunedda* fel sefydlydd llinach gyntaf Gwynedd. Ffrwyth camddehongli ffurf Hen Gymraeg, sef *cuneda*(*g*) yw hwn, a'r ffurf hanesyddol gynnar oedd *Cyndda*. Yma hefyd y perthyn llysenw Setanta, sef Cú Chulainn (Ci Culann), un o brif arwyr mytholeg yr Wyddeleg.

Gair cyfansawdd ydi *cachgi*, wedi ei lunio o *cach+ci*, wrth gwrs. Yr ail elfen, sef *ci*, yw'r un bwysicaf. Math o 'gi' yw *cachgi*. Pan fo'r elfen bwysicaf yn dod yn ail ein henw am y ffurfiant yw 'gair cyfansawdd rhywiog'. Bydd yr ail elfen yn treiglo, fel yn *llyfrgell*, o *llyfr+cell*. Digwydd y gair *cach* fel 'caugh' yn y Gernyweg, 'kaoc'h' mewn Llydaweg diweddar, a 'cacc' yn yr Wyddeleg. Mae'n debyg bod y gair *cach* yn un eang ei ddosbarthiad, ac mae'n dod o hen ffurf Geltaidd *kakkā*. Digwydd gair cytras yn y Lladin hefyd ('cacō'), ond mae geiriau fel *caca* yn y Ffrangeg a'r Sbaeneg, a *cack* yn Saesneg yn perthyn rywsut hefyd.

Ar gyfer y rhai ohonom sy'n ymddiddori yn Llydaw, mae perygl yma. Digon hawdd i Gymraes ddeall 'gwin gwenn', sef *gwin gwyn*. Bydd sawl un y mae'n well ganddo win o liw arall yn gofyn felly am 'gwin coch' heb wybod nad yw'r gair *coch* yn bod yn y Llydaweg a bod ein *coch* ni yn swnio, i'r Llydawyr, yn debyg iawn i *gwin cach*. Gall hyn beri syndod mawr mewn gwyliau a thai tafarn diarffordd. Y gair Llydaweg am *coch* yw '*ruz*', ac mae hwn yn gytras â'n *rhudd* ni. Dywed pobl bod dillad yn *rhuddo* (to singe) os ânt yn rhy agos i dân am sbel. Mae hwn i'w weld yn yr enwau Rhuddlan a Rhuthun. Ystyr y cyntaf yw'r 'lan goch', oherwydd y tywodfaen lleol. Gair arall am *ymyl* yw *hin*, ac mae hwn i'w weld yn 'hiniog' (ffrâm drws) a'r Rhinogydd (yr Hinogydd). Try 'Rhudd-hin' yn naturiol yn 'Rhuthin' ac wedyn ymdebygodd yr ail lafariad i'r gyntaf gan roi Rhuthun. Unwaith eto cyfeiro a wna at y tywodfaen lleol.

O'r gair *brad* y daw *bredych*. Yr <y> yn y sillaf olaf sy'n peri i'r *a* droi yn *e*. Meddyliwch am barau fel *mab/mebyd* neu *aradr/erydr*. Affeithiad yw hyn, lle mae un llafariad yn ymdebygu rywfaint i un arall mewn sillaf gyfagos. Mae sawl math yn y Gymraeg. Pan luniodd Tolkien yr iaith Sindarin (un o ieithoedd yr *Elves*) seiliwyd llawer ar y Gymraeg, fel yr ynganiad. Dyma un o'r rhesymau pam y dewiswyd Morfydd Clarke i actio rhan Galadriel yn y gyfres deledu 'The Rings of Power'. Yn wir mae treigladau yn yr iaith hon, a hefyd... affeithiad. Dyna pam mai lluosog *orc* yw *yrc*, ac mae lluosog *balrog* yw *belryg*. Dyry GPC enghreifftiau o'r Cymoedd 'Yr '*en fretych, all dy fam d'unan ddim dy dristo di*' a '*Fe æth y ddou 'en fretych i'r gwaith pin 'ôn ni ar streic*' (GTN 95). Mae hefyd enw lle o'r enw *Pant-y-bredych* i'r gogledd-ddwyrain o Lan-non, ond rhaid cofio y gall *bredych* hefyd olygu *ofn* neu *greadur hyll*.

Mae *ci* yn tarddu yn y pen draw o'r gair PIE *k^{w}on, fel y gair Lladin '*canis*' (*canine* ac ati) a '*hound*' yn yn Saesneg. *Cach* a *gŵr* yw *cachwr*, ac mae i'r gair *gŵr* hen hanes. Y ffurf Broto-Indo-Ewropeg (ryw chwe mil o flynyddoedd yn ôl efallai) oedd *wi-ro-*. Dyry hwn y gair Lladin *uir*, sydd i'w weld mewn geiriau Saesneg fel '*virile*' a '*virtue*'. Fel y gwelwch mae'n air eithaf urddasol, fel ag yn y Gymraeg. Rhywbeth llai grymus yw *dyn*. Rhoddodd y gwreiddyn hwn hefyd '*wer*' mewn Hen Saesneg (tua 550-1100), ac mae i'w weld yn y gair '*werwolf*', a hefyd yn '*world*'. Daw hwn o'r Hen Saesneg '*woruld*', sy'n dod o *wer-ald*. Mae'r ail elfen yn cyfateb i'r Saesneg '*old*' (oes), a'r ystyr oedd 'oes dyn, dynoliaeth' yn wreiddiol. Y ffurf yn yr Wyddeleg yw '*fer*', a'r lluosog yw *fir*. Efallai ichi weld yr ail ar arwydd toiled yn Iwerddon. Mae '*fer*' yn cyfateb i'n gair *gŵr* ni. Mewn Hen Gymraeg rhywbeth fel '*wŵr*' oedd yr ynganiad. Trodd *w- yn 'f-' mewn hen Hen Wyddeleg. Mae 'na newidiadau eraill, ond mae'r rheiny'n rhy ddyrys i'w trafod yma. Hen air Cymraeg oedd 'gwst', ac roedd yn golygu rhywbeth fel 'nerth, grym'. Ohono y lluniwyd yr enw Gwrwst (grym gŵr), a chysylltwyd gŵr o'r enw hwn ag eglwys enwog yng Nghymru, sef

Llanwrwst (1398), neu *Llanrwst* erbyn heddiw. A beth yw'r ffurf Wyddeleg? Heddiw bydden nhw'n ysgrifennu *Fearghas*, ond mae'n debyg y byddwch yn fwy cyfarwydd â'r fersiwn Seisnig, sef *Fergus*.

Mae tarddiad *llwfr* yn ansicr, ond mae'n debyg ei fod yn perthyn i'r gair Hen Wyddeleg *lobur* 'gwan, afiach', a'r Llydaweg *'lovr'*, sydd hefyd yn golygu 'gwahanglwyfus'. Nid wyf yn sicr paham y bu iddo newid ei ystyr yn y Gymraeg. Efallai mai sarhad eithafol oedd, y peth gwaethaf mwyaf ysgymun y gellid bod oedd gwahanglwyf.

Beth am y gair Saesneg *'coward'*? Daw hwn o'r gair Eingl-Normaneg *couard*. Eingl-Normaneg yw'r dafodiaith Ffrangeg a siaradai Normaniaid cynnar Prydain. Roedd llawer iawn o fonedd Cymru yn medru'r iaith hon hefyd, yn y ddeuddegfed ganrif a'r drydedd ganrif ar ddeg. Bu llawer o briodi rhwng y Cymry a'r Normaniaid, a llawer o gysylltiadau eraill hefyd. Yn ystod y cyfnod hwn, rhyw iaith sathredig braidd oedd y Saesneg. Gallem ddychmygu uchelwr o Gymro yn siarad Eingl-Normaneg â'i wraig Normanaidd gyda'r nos, ond yn hela gyda'i osgordd yn y Gymraeg. Meddyliwch am y tywysog Llywelyn Fawr, er enghraifft, a briododd Siwan, merch anghyfreithlon i'r Brenin John. Yn wir, mae *cowart* yn digwydd yn y Gymraeg, ond mae'n debyg mai benthyciad diweddarach yw hwn. Daw o'r Eingl-Normaneg *'coe'* (cynffon) a ddaw o'r Lladin *'coda'*. Meddyliwch am y gair Ffrangeg *'queue'* sy'n golygu *cynffon*, ac a roddodd *queue* yn Saesneg am linell o bobl. Daeth hwn i'r Gymraeg fel *ciw*, a'r un gair yw â ffon i chwarae snwcer. Y terfyniad yw *-ard*, ac un braidd yn ddifrïol yw. Ystyr *'coward'* yn wreiddiol oedd rhywbeth fel *cynffonwr*. Beth felly am y cyfenw *Coward*? A oedd rhyw gachgi enwog yn y teulu? Nag oedd, oherwydd mai *cow+herd(er)* yw hwn, sef 'bugail gwartheg', gan gofio bod y *bu* yn *bugail* yn golygu buwch. Ond druan o bobol sydd â'r cyfenw hwn, os oes camddeall.

Mae gair am *ci* ynghudd yn enw Stryd Womanby yng Nghaerdydd, y gair 'hund' (hound) a ddaw o 'hunde-man' a *'by'* y gair Llychlynaidd am bentref.

I grynhoi. Mae *cach* yn hen air sy'n digwydd mewn llawer o ieithoedd yn Ewrop. Mae *ci* yn gytras â *'canine'* yn Lladin a *'hound'* yn Saesneg. Mae *coch* yn perthyn i *cochineal* (gweler *AmrywIAITH 2*). Mae *gŵr* i'w weld ar ddrysau cachdai Iwerddon fel *fir*, a digwydd yn Llanrwst yn ogystal â'r geiriau Saesneg *world* a *werewolf* a *virile*! Mae *'coward'* yn perthyn i *ciw*, rhes o bobol ddisgwylar a ffon i chware pŵl. Ond peidiwch da chi â gofyn am *win cach* yn Llydaw.

Cafod Wynt (WVBD 246) - *rash*

Dyma un o'r geiriau a nodwyd am '*rash*' ryw ganrif yn ôl, ac roedd yn gwbl ddieithr i mi. Gellid dweud bod rhywun wedi *câl y gafod wynt i'r llygaid*. Syndod felly oedd canfod bod rhyw ôl o'r gair hwn yma o hyd, a hwnnw ym Môn. Yng Ngwalchmai dywedir y *gafod wyllt*, a nododd un o Langristiolus gerllaw 'Y *gafo* oedd fy mam a nain yn galw 'mastitis' a gaed wrth fwydo o'r fron.' Wn i ddim pam y datblygodd y gair *cafod/cawod* yr ystyr hwn.

Yn Llithfaen gellir dweud bod y *croen yn llidio*, ac mae *llidus* yn ddigon cyffredin yn y Gogledd. Yn Nwyfor nodwyd *croen wedi brechu*. Gellir hefyd ddweud yn y Gogledd fod croen wedi *ffyrnigo*, gyda *wherwi* (sef *chwerwi*) yn y De (GDD 326). Ym Mhontarddulais nodwyd *lligrus*, gyda llyfr lleol ar y dafodiaith yn nodi *llidus*. Nododd un naturiaethwr fod *y gawod goch* (rust / crown rust) a'r *gawod lwyd* (mildew) yn hen enwau ar afiechydon ffyngaidd ar blanhigion. Erbyn hyn mae '*rash*' neu '*psoriasis*' wedi hen ennill eu plwyf.

Cennin Pedr (WVBD 259, GDD 302, BILLE 32)

Mae'n ymddangos mai *cennin Pedr* yw'r term mwyaf cyffredin bellach, os nad yw'r rhan fwyaf yn dweud *daffodils*. Ond mae ambell i enw arall yn parhau ar dafod-leferydd. Ym Mynytho ceir *lili felan*, ac mae rhai yn Llŷn yn cofio o hyd am *piball felan*, a rhai ym Môn yn sôn am *clycha babi(s)* (WVBD 267). Nododd un o Langefni *clocha babis*. Cafwyd *lili bengam* yn Arfon, a sylwer bod y Llydaweg *roz kamm* (rhosyn cam) hefyd yn debyg. Blodeuyn anarferol (cam) yw oherwydd ei fod yn wynebu ymlaen yn hytrach nag i fyny at yr haul. Ond yn aml nodwyd mai pethau a ddywedai'r hen bobol yw'r termau hyn. Mae'n siŵr bod *cennin Pedr* yn disodli'r geiriau eraill oherwydd ei amlygrwydd presennol fel sumbol o'n cenedligrwydd, a'i ddefnydd cyson yn y cyfryngau, ac efallai mewn ysgolion hefyd. Mae'r ffaith ein bod yn dweud *Pedr* yn hytrach na *Pedar* neu *Peder* yn awgrym cryf mai gair o darddiad llenyddol yw. Nodwyd *cinnis Pedar* yn ardal Bangor ganrif yn ôl (WVBD 259), a dim ond yn Llandygái y nododd un ei bod yn cofio pobol yn ei ddefnyddio. Roedd *jini Pedars* ar lafar gan y Cofis yng Nghaernarfon, ond ni nododd neb ei fod yn derm byw bellach. Nid oedd yr ystyr '*leeks*' am *cennin* yn gyfarwydd yn ardal Bangor ganrif yn ôl.

Blode mish Mowrth a nodwyd i'r De o Gastellnewydd Emlyn a cheir *twmdili(s)* ym Mhenfro. Nododd rhai fod *pegidomis* ar lafar yng Ngogledd Ceredigion. Yr unig gynnig sydd gan GPC am darddiad hwn yw ei gysylltu â'r enwau *Pegi* a *Tomi.* Gellir cael y lluosog *daffodilie* ym Mrynaman. Nodwyd *daffadowndilis* yn y Rhondda.

Mae tarddiad *cennin* yn ansicr. Mae gennym '*kenin*' mewn Hen Gernyweg a ffurfiau fel '*kinnen*' mewn Llydaweg Canol sy'n golygu '*winwyn*/*nionyn*'. '*Cainnenn*' yw'r ffurf am gennin mewn Gwyddeleg Canol. Mae'n ansicr at ba blanhigyn, oll o'r un teulu, y cyfeiriai yn wreiddiol. Mae un arbenigwr wedi ei gymharu â'r gair Rwsieg am y planhigyn '*garlleg*', sef '*česnok*', ac mae hyn yn awgrymu mai'r gwreiddyn yw **kasn-*. Cynigiodd un arall fod yr elfen i'w gweld yn enw'r llwyth *Cananefates*, a drigai ddwy fil o flynyddoedd yn ôl yn yr Iseldiroedd.

Dim ond yn yr ail ganrif ar bymtheg y cawn y term penodol *cennin Pedr* wedi ei ysgrifennu am y tro cyntaf. Dichon mai at Sant Pedr y cyfeiria. Mae enwau personol Cristnogol yn gyffredin mewn enwau planhigion a phryfed. Yn anffodus mae'r hanesyn neu'r gred tu ôl i hyn wedi mynd ar ddifancoll, ond tybed a oes a wnelo'r enw â'r hen gred fod cennin Pedr yn gysylltiedig â'r meirwon. Mae'r bardd Saesneg Milton, er enghraifft, yn cyfeirio yn 1634 at y blodeuyn hwn: '*To embathe in nectared lavers strewed with asphodel*' (*Comus*). Hynny yw, roedd y blodeuyn yn gorchuddio Elysium, lle'r âi eneidiau'r meirwon cymeradwy. Cofier mai i Sant Pedr y rhoddodd Iesu allweddi'r Nefoedd. Ond dim ond dyfalu sydd yma.

Gair Groeg sydd wrth wraidd *daffodil*, sef '*asphodelos*'. Mae ei darddiad yn ansicr, ond aeth i'r Lladin fel '*asphodelus*'. Erbyn tua 1400 roedd hwn wedi teithio i'r Saesneg, gan roi '*affodill*'. Mae'n bosibl bod *y d-* i'w holrhain i'r Iseldireg lle dywedid '*de affodil*'. '*De*' yw un o'u geiriau nhw am 'yr'. Un o'r llu amrywiadau Saesneg oedd '(*daffa*)*downdilly*', a nodwyd uchod yn y Rhondda. Efallai mai dylanwad yr enw personol Twm sydd i'w weld yn *Twmdili.*

Erbyn heddiw *cenhinen* yw'r ffurf unigol. Torfol yw *cennin*. Ond ni chafwyd gwybodaeth am beth oedd holl ffurfiau unigol yr amrywiadau uchod. Planhigyn o ardaloedd Môr y Canoldir oedd yn wreiddiol, ac felly, nid yw'n syndod efallai nad oes hen, hen enw amdano yng Nghymru. Byddwn i'n amau mai cyfeirio'n wreiddiol a wnâi at '*spring onions*' ac i'r Cymry ychwanegu *Pedr* ato i gyfleu'r gwahaniaeth. Byddai hyn yn egluro pam mai 'garlleg' yw'r ystyr yn y Llydaweg.

Pam yr ystyrrir cennin neu gennin Pedr yn blanhigyn cenedlaethol y Cymry? Ni wn faint o goel i'w roi ar yr hanesyn i'r Cymry, cyn brwydr fawr, godi'r cennin a dyfai o'u hamgylch a'u gosod ar eu dillad er mwyn eu gwahaniaethu oddi wrth y gelyn Seisnig. Os oes rhithyn o wirionedd yn hyn, gellid ei gymharu ag arfer milwyr Wcráin i lapio tâp glas o gwmpas rhan uchaf llewys eu siacedi milwrol. Ceir cyfeiriad at arfer y Cymry yn 1724 mewn llyfr o'r enw *Oes Lyfr*. *Yn dair Rhan* (Thomas William) lle noda 'wisgo ar eu Hettiau, bob un *Genhinen*, yn arwyddo rhyw Fyddugoliaetha ennillasant ar y Saeson'. Cyfeiria Shakespeare at yr arfer yn ei ddrama *Henry V* pan sieryd y brenin â Fluellen (Llywelyn) sy'n ateb ei fod yn gwisgo cennin "for I am Welsh, you know, good countryman".

Coch, melyn a llwyd

I ni, yn ein byd llawn paent a phethau llachar mae ystyr ein geiriau am liwiau yn glir, ac ar y cyfan rydym yn gwbl gytûn at ba liw yn union y cyfeiria pob gair (melyn, coch, du, glas, llwyd etc.). Ond roedd pethau'n wahanol yn y gorffennol. Rhywbeth gweddol ddiweddar yw'r holl enwau am amrywiaeth lliwiau yr ydym yn gyfarwydd â hwy, fel *pinc* a '*crimson*' a '*beige*'. Nid oedd lliwiau mor bwysig i'n cyndadau a'n cynfamau. Roedd pethau pwysicach i'w cyfleu na lliw. Mae gan Guy Deutcher lyfr rhagorol am hyn oll o'r enw *Through the Language Glass*. Yn wir mae 'astudiaethau lliw' yn faes academaidd rhyngwladol o bwys. Un nodwedd a drafodir gan Deutcher yw'r ffaith bod gan bob iaith ddull o gyfleu *du* a *gwyn*, neu *dywyll* a *golau*. Pan fo trydydd lliw yn ymddangos *coch* yw yn ddieithriad. Wedyn, fel arfer, daw gair am *wyrdd* neu *las*. Byddai pobol yn dueddol o ddisgrifio planhigion ac ati gan gyfeirio at bethau eraill ar wahân i liw. Yn ogystal roedd dulliau eraill o feddwl am 'liw' fel ystyried rhywbeth yn *frith* neu'n *frych*. Ni fyddai ychwaith liwiau yn cyfateb rhwng ieithoedd. Nid yr un peth yn union oedd *coch* a '*red*' er enghraifft. Gall rhywbeth fod yn *goch* mewn un iaith ond yn *felyn* mewn iaith arall. Meddyliwch am groen yn *melynu*. Nid troi'n lliw banana a wna.

Efallai bod llawer ohonoch eisoes yn gwybod y gall y môr fod yn las, ond hefyd y gall dail a gwair fod yn las. Meddyliwch am *glaswellt*, *gwelltglas*, *gwellt glas*, *cae glas* a thir yn *glasu*. Meddyliwch hefyd am *Wythnos y Glas* a *glas-fyfyrwyr* a *glaslanc*. Mae mwy o ryw ystyr *ir* neu *ffresh* i hwn. Does ond eisiau lloffa trwy *Archif Melville Richards* i weld pa mor gyffredin yw enwau fel Bryn Glas. Nid '*Blue Hill*' yw hwn ond '*Verdant Hill*'. Dyma sydd i'w weld yn Glasgow er enghraifft. Enw Brythoneg yw o gyfnod hen deyrnas Frythoneg Ystrad Clud, a'i ystyr yw *pant glas*. Neu yn fwy tebygol y pant yn llawn tyfiant iach. Mae'r ail elfen *cow* (cau) i'w weld yn *ceunant*. Nid dyma'r lle i fynd ar y trywydd astrus hwn ond nodaf ambell beth a drafodwyd.

Yn gyntaf *coch*. *Siwgr coch* a ddywedid am '*brown sugar*'. Mae'n amlwg bod hwn yn ildio, dan ddylanwad y Saesneg i *siwgr brown*. Mae *torth goch* ar lafar hefyd, ymysg y to hŷn, am '*brown bread*'. *Cochi pysgod yw* '*to smoke fish*' yn ardal Caernarfon. *Tir coch* yw tir heb ei aredig. Ym Mhenrhyn Llŷn ac Arfon *siwgwr coch* yw'r enw am y blodau 'suran'. Yn Arfon *Gwynt Coch Amwythig* yw gwynt oer y dwyrain sy'n crasu neu'n deifio'r tir. Yn Llandysul *te coch* yw te heb laeth. Fel y gwelwch gallai *coch* gyfeirio at ystod o liwiau.

Dywed rhai yn y Gogledd *sgidia melyn* am rai brown. *Papur llwyd* a ddywed llawer am y papur lapio sydd bellach yn frown. Gallai *llwyd* gyfeirio yn aml at ryw liw aneglur. Meddyliwch am un o linellau Dafydd ap Gwilym 'ac mewn naint (nentydd) llifeiriaint llwyd'.

Mae'n debyg bod *coch* yn dod yn y pen draw o'r gair Lladin '*coccum*', a hwn yn ei dro, yn deillio o'r gair Groeg *kokkos* 'aeronen, hedyn'. O'r rhain yn aml byddid yn lliwio dillad, a daeth y gwrthrych yn air am y lliw. Ffurf fychanigol Lladin sydd wrth wraidd '*cochinilla*' yn y Sbaeneg. Teithiodd y gair i'r Ffrangeg wedyn (mae'n debyg) gan roi '*cochenille*' (16 ganrif) ac o hwn y daeth y gair Saesneg '*cochineal*'. O'r gair Lladin hwn daeth y Ffrangeg '*coque*' 'plisgyn wy neu gneuen' a rhoddodd hwn '*cocoon*' yn y Saesneg. Os cywir hyn byddai angen imi ailedrych ar y drafodaeth am *cwch* yn y gyfrol ddiwethaf.

Wnaethoch chi erioed feddwl beth oedd tarddiad enw'r dref Lichfield? Mae gennym yr hen enw Cymraeg arni sef *Cair Luitcoyt*. Mae'n debyg y gallwch weld mai hen ffurf ar *Gaer Lwytgoed* yw hon. Yn ffodus mae'r enw Lladin arni yn gyfarwydd inni hefyd, sef *Letocetum*, cynffurf ein henw ni. Un o'r enwau lleoedd niferus yw a oroesodd Seisnigo tiroedd y Brython, ac wrth ei Seisnigo ychwanegwyd *field* ato. Mae'n digwydd yng Ngâl hefyd, yn yr enw Louesme (o *Lētisamā 'Llwytaf'). Er hyn nid ydym yn hollol sicr beth yw ystyr *coed llwyd* yma. Fel arfer mae 'llwyd' mewn enwau fel *Cae Llwyd, Llwydiarth* (*llwyd+garth*) a *Berth Lwyd* yn cyfeirio at ddiffyg lliw amlwg.

Mae'r ffurfiau cytras yn yr holl ieithoedd Celtaidd: *loys* mewn Cernyweg Canol, *loued* mewn Llydaweg modern a *liath* yn yr Wyddeleg. Gyda'r rhain oll, ynghyd â'r ffurfiau cynnar iawn a nodwyd yn y cyfnod Rhufeinig, mae modd ail-greu'r ffurf Gelteg *lēto-. Ond sut mae mynd yn bellach yn ôl na hyn? Gyda chymorth ieithoedd cytras eraill, a'r hyn sy'n ddiddorol yw bod yn llawer o'r rhain eiriau am *gwelw* sy'n agos at *pel-. Y cwestiwn wedyn yw a allwn ni weld bod cyfatebiaethau rheolaidd rhwng y rhain a'r ffurf Gelteg. A'r ateb yw bod rhai'n bod. Un peth y gwyddom yw bod y sain *p* wedi ei cholli (gydag ambell eithriad penodol) yn yr ieithoedd Celtaidd. Rhywbeth arall y gwyddom am yr iaith PIE yw mai e yw llafariad arferol y bôn ac y gall y gwreiddyn ddigwydd heb y llafariad hon, mewn rhai cyd-destunau gramadegol.

Felly, os cychwynnwn gyda **pel-* gallwn weld y 'radd-sero' **pl-*, a chyda cholli'r *p* (nodwedd o'r Gelteg) cawn l-. Terfyniad Celtaidd yw'r gweddill. A beth am y geiriau cytras eraill meddech chi, os ydych yn amheus o ddewiniaeth yr ieithydd? Yr hynaf ar glawr yw'r gair Sansgrit (hen iaith gogledd India) *'palitah'* sy'n golygu *llwyd*. Un arall yw'r Lladin *'pall-'* a roddodd *'pale'* a *'pallid'* yn y Saesneg. Gair arall sy'n perthyn yw *palumba* 'colomen' a roddodd *paloma* yn y Sbaeneg. O'r gwreiddyn hwn hefyd y daeth *palomino*, ceffyl o liw hufen. Efallai hefyd fod rhai ohonoch, fel fi, yn ddigon hen i gofio cân hyfryd Jonathan King yn 1975 *Una Paloma Blanca* (Un Golomen Wen).

Mae'n debyg bod y gwreiddyn i'w weld yn y gair Groeg am y rhan o'r wlad sydd i'r de o gamlas Corinth sef y Peloponnese. Mae hefyd haint sy'n peri ymfflamychiad ym madruddyn y cefn (sy'n llwyd), ac yn 1874, bathodd y meddyg o Almaenwr Adolph Kussmaul (1822-1902) yr enw *'polio-myelitis'*, neu fel arfer *'polio'*.

Mae gair Saesneg sy'n perthyn hefyd. Yn yr iaith honno, yn lle cael ei cholli, trodd *p* yn *f* (fel ag yn ein treiglad llaes ni). Felly trodd **pel-* yn **fel-* a chydag ambell i newid arall, cafwyd y gair Hen Saesneg *fealu* 'melyn gwelw, brown, melyn', a'r ffurf heddiw yw *fallow*. Meddyliwch am adael tir âr heb ei drin. Try'n liw aneglur a dyma yw *fallow*. Mae hwn i'w weld hefyd yn *'fallow deer'*.

Oes angen ychwanegu mai hwn yw tarddiad y cyfenw *Lloyd*? Am ddyn llwyd ei wallt. Oherwydd na allai Saeson ynganu ein *ll* ni trodd hwn yn *Floyd*, yr un newid a welir yn *Fluellen*. Yr hyn sy'n digwydd yma yn y Saesneg yw bod yr *l* yn cyfleu safle'r tafod yn y geg, tra bo'r *f* yn cyfleu mai sain ffrithiol ddilais yw *ll*. Gall y Cymry gyfuno'r ddau yn *ll* ond ni all y Saeson yn rhwydd. Dyma sy'n cyfri hefyd am ynganiadau fel *Thlanethly* am *Llanelli*. Mae *th* fel *f* yn ffritholyn dilais.

Felly dyna chi, mae'r cyfenw *Lloyd*, *'fallow deer'*, Lichfield, *'polio'*, *'palomino'* a *'pale'* a *'fallow'* oll yn perthyn i'n *llwyd* ni.

Chilly

Mae sawl gair i gyfleu hyn. Chwilio'r oeddwn am ddulliau o gyfleu 'chilly', yn hytrach na 'cold'. Un o eiriau hysbys y De yw *sythlyd*. Yng Ngogledd Sir Benfro gellir dweud *Mae'n sithlyd ofnadwy heddy'* (GDD 264). Yn Nantgarw (Morgannwg) byddid yn dweud *Ma'r lle 'ma'n sithlyd afnadw ond yw a?* a *Dwyrnod dicon sithlyd yntafa?* (GTN 741). Yn y Bala dywedir *rhynllyd*, ac yn Nwyfor gellir dweud *Mae 'na ias ynddi.* Yn y Gogledd clywir hefyd *Mae hi'n gafael.* Mae *oerllyd* ac *oeriog* yn hysbys yn ardal Bangor am 'chilly'. Nid wyf yn hollol sicr bod pawb yn gwahaniaethu rhwng 'cold' a 'chilly'.

O ble daw ein gair *oer*? O gymharu â'r gair Hen Gernyweg *oir* a'r Hen Wyddeleg '*úar*' gallwn ailgreu'r ffurf Gelteg **ogr-*. Ac yn wir ichi enw'r pumed mis yng nhalendr Celtaidd enwog Coligny o'r ail ganrif yw *Ogron* - 'y mis oer'. Calendr o dde Ffrainc yw hwn, un a luniwyd tua diwedd yr ail ganrif. Mae'n dystiolaeth bod iaith a diwylliant Celteg yn dal i ffynnu yno yn y cyfnod hwn, dros ddau can mlynedd wedi goresgyniad y Rhufeiniaid. Hefyd o Âl mae gennym yr enw *Ogrigenus*, a'r ail elfen yw ein *geni* ni, felly mae'n debyg mai'r ystyr oedd 'un a anwyd mewn cyfnod oer'.

Croen y baw, yn y gnec (BILLE 42)

Beth yw'r gair Cymraeg am '*skinhead*'? Wel, hyd y gwn i nid oes gair cyffredin, ond mae termau am dorri gwallt yn fyr iawn, at y bôn. Yn Nwyfor dywedir *torri yng nghroen y baw*, neu *torri i groen y baw*. Yn wreiddiol cyfeiriai hyn at ddefaid yn bwyta glaswellt hyd wyneb y ddaear. '*To graze down to the surface of the soil*' yw sylfaen y metaffor (GPC s.v. *poraf*).

Nodwyd *torri yn y gnec*, neu *i'r gnec*, yn yr un ardal, ac mae GPC yn nodi y gall *cnec* olygu 'bôn' a noda fod yr ymadrodd ar lafar yn siroedd Dinbych, Fflint a Meirionnydd.

Cyfnither, Cefnder (GDD 60, WVBD 255/275, BICwm 80, RhGG 43)

Dechreuwn â'r ffurf fenywaidd *cyfnither*. *Cnithar* yw'r ffurf arferol yn y Gogledd-orllewin gyda llawer iawn wedi ei droi'n *cneithar*. Yng ngweddill y Gogledd *cnither* neu *cneither* sy'n arferol. Y gwir yw y gall fod yn anodd yn y Gymraeg glywed y gwahaniaeth rhwng *cnither* a *cneither*. Ni wn pam y datblygodd *i* yn *ei* yma. Noda Phyl Brake iddo glywed siaradwraig o Flaenrhondda'n dweud *bleino* am *blino*, ac felly efallai bod newid mwy cyffredinol yn y fro. Nodwedd arall gyffredin iawn, a hynny yn y De hefyd,

36

yw bod amrywio mawr rhwng cn- a cyn-, yn wir, unwaith eto gall fod yn anodd iawn clywed y gwahaniaeth, ac mae'n ddigon posibl bod yma ddylanwad y ffurf safonol.

Y lluosog yw *cnitherod*, ond nodwyd *cnithrod* yng Nghoed-poeth ger Wrecsam. Mae hwn yn weddol anarferol oherwydd mai'r sillaf acennog a gollwyd *cyfnith<u>e</u>rod* > *cnith<u>e</u>rod* > *cnithrod*. *Cyfnither* a nodwyd yn Nyffryn Camwy ac Esquel ym Mhatagonia, sef y ffurf safonol.

Trown i'r De. *Cynither*, a'r lluosog *cnitherod*, a nodwyd yn Llanddewi Brefi. Yn Llanelli a Chastell-nedd nodwyd *cnithder* ac yn y Rhondda cafwyd *cnithdar*, a *cnithderwydd*. Yn Nhŷ-croes nodwyd y ffurf *cyfnithres*, sef un â therfyniad benywaidd. Y gwir yw bod hwn yn ddiangen, ond mae ar siaradwyr yn aml yr awydd i gyfleu yr un syniad ddwywaith er mwyn ei bwysleisio. Dylanwad geiriau eraill fel *athrawes*, *cantores* a *llances* sydd yma.

Mae GPC yn nodi'r lluosogion *cyfnitheroedd* a *cyfnitherwydd*, ond nid y ffurf lafar arferol sy'n gorffen ag *-od*! Dim ond yn y Rhondda y cafwyd y lluosog *-wydd*. Yng nghymoedd y De nodwyd *cnithderod*, ond yn Aberteifi y lluosog oedd *cneitherwyr*. Efallai mai ffurf ar *cyfnitherwydd* yw'r olaf, a'r *-wydd* wedi troi'n *-wyr* dan ddylanwad *cender<u>wyr</u>*, lluosog *cender* (cefnder), lle tybiwyd mai ffurf dreigledig *gwŷr* (lluosog *gŵr*) sydd yma. Meddyliwch am eiriau fel *gweith<u>wyr</u>* neu *siarad<u>wyr</u>*. *Cydweddiad* yw'r term am hyn. O ran y lluosog *cnith<u>d</u>erod* gallwn dybio bod y ffurf *ce(f)n<u>der</u>* wedi bod o gymorth i gadw'r elfen olaf (gweler isod) yn ddigyfnewid, neu hyd yn oed i'w hailsefydlu.

Er mwyn egluro hyn oll rhaid cofio bod *cyfnither* yn tarddu o *cyf-* +*nith*+*derw*. Yn wreiddiol golygai *nith* 'ŵyres', neu 'nith', sef rhywun ifanc oedd yn perthyn o ddau gam i ffwrdd. Gallai hyn fod un ai'n ferch i'r plentyn neu'r ferch i frawd neu chwaer. Y gwreiddyn PIE yw **neptī* ac mae bôn hwn i'w weld mewn nifer o eiriau yr ydych eisoes yn gyfarwydd â nhw. Un enghraifft amlwg yw'r gair Saesneg '*nephew*', sydd yn dod o'r Ffrangeg ('*neveu*' heddiw), fel y gair '*nepotism*' (o'r Lladin). Golygai '*nepotism*' yn wreiddiol roi ffafrau i 'nai' y Pab. *Euphemism* (*gair teg* neu *mwythair*) am fab llwyn a pherth y Pab oedd 'nai' yn y cyd-destun hwn wrth gwrs. Daeth wedyn i gyfeirio at roi swyddi i unrhyw aelod o'r teulu. Mae *cyf-* yn rhagddodiad digon cyffredin, ac yn un eang iawn ei ddefnydd a'i ystyr, felly nid wyf yn hollol siŵr o'i ddefnydd yma. Beth felly am *derw*? Mae hwn i'w weld yn *cefnder* a *cyfyrder* hefyd. Yr ystyr yma yw 'sicr, cadarn', a'r un gair yw, mae'n debyg, ag enw'r goeden. Yn wir, mae'n ymddangos mai o hwnnw y daeth. Byddai felly yn gytras â 'tree' yn Saesneg. Yn y cyd-destun hwn mae'n debyg ei fod yn cyfleu perthynas deuluol sicr neu agos. Mae'n digwydd yn yr Hen Wyddeleg hefyd, fel *derb* (sy'n swnio fel *derf* yn y Gymraeg). Mae'n debyg mai'r ffurf wreiddiol oedd **cyfnithdderw*. Collodd pawb yr *-w* ar y diwedd, a thoddodd yr *-th* a'r *dd-* i'w gilydd gan roi *th*. Cymathiad yw'r gair am y broses hon. Cofiwn hefyd mai *w*-gytsain oedd ar ddiwedd geiriau fel *derw*, *meddw* a *gwelw* ac mai unsill oeddynt. Mewn ardaloedd o Frynaman i Gwm Gwendraeth mae *cneithder* yn arferol, ac yma cadwyd y *d* gan droi *-th-dd-* yn hytrach yn *-th-d-*.

Yn Llyfr Blegywryd, sef fersiwn y De o gyfreithiau canoloesol Hywel Dda, ceir y ffurf 'cefnithterw', sy'n fwy triw i'r hen ffurf. O ran diddordeb, un o olygyddion *Llyfr Blegywryd* oedd J. Enoch Powell, a oedd yn ysgolhaig rhugl ei Gymraeg, ond efallai eich bod yn fwy cyfarwydd ag ef am ei araith 'Rivers of Blood'.

Yn y Gogledd *cefnder* neu *cefndar* sy'n arferol. Yng Nghorwen nodwyd yr amrywiad *cernder*. *Cefndryd* yw'r unig luosog a nodwyd. Yn y De *cender* sy'n arferol ond mae amrywio o ran y lluosog. Mae *cenderwyr* yn gyffredin yn Sir Benfro, gyda *cenderwydd* yn ardal Llanelli. Nododd Iwan Wyn Rees iddo gofnodi *cefnderwydd* yn y Wladfa. Nodwyd *cenderod* yng Nghwm Gwendraeth a Blaenau Morgannwg. Nododd un o Dyddewi fod *cneitherod* a *cenderwyr* yn hysbys yno. Daw'r gair o *cefn*+*derw*, a'r *cefn* hwn yn tarddu yn y pen draw o *cyf* a *nai*. Mae'r newidiadau braidd yn ddyrys i'w hesbonio yma, felly wna i mo'ch drysu â hynny. Dylwn nodi hefyd bod *ail gefnder* yn prysur ennill ei blwyf erbyn hyn.

Mae'r ffurfiau Llydaweg yn ddigon agos, sef: *kenderv* a *keniterv* (lluosog 'kindirvi'), ac yn y Gernyweg cawn 'kanderu'.

Nodwyd hefyd fod *cysn* a *cysns* yn gyffredin yn y Cymoedd.

Cymer! Hwda!

Dechreuwn yn y Gogledd a symud tua'r De.

Mae *hwde!* yn gyffredin o Fôn i Geredigion, gan gofio mai'r ffurf *hwda* yw'r ffurf yn y Gogledd-orllewin, ac *wde* yng Nglynceiriog. Nodwyd *hwyde* yn Nhrefenter. Dichon mai amrywiad arno yw'r *ynda!* sy'n digwydd yn y Gogledd-orllewin, a *hwnda!* yn Llanfachraeth. Efallai bod y newid hwn yn debyg i *ydi* > *yndi* yn y Gogledd-orllewin. Y gwir yw bod cryn amrywio mewn sawl ardal. Mae *hwde* ac ati yn dipyn mwy anffurfiol na *cymer*, ac yn cael ei ddefnyddio wrth hanner taflu rhywbeth. Y ffurfiau ym Mrynaman yw *hwr* a *hwre* ond yn Rhydaman ffurfiau heb *h* sydd. *Hwre* sydd yn Sir Gâr, *hwria* yn Nhyddewi, *hwra* yng Nghwm Gwendraeth. Gallai'r ddwy ffurf olaf fod yn gamarweiniol i rai! Yn Llambed nodwyd *hwyre.* Nododd un *hwre* yng Ngheredigion, ond *hwde* ym Maldwyn. Mae *Geiriadur Prifysgol Cymru* yn nodi ffurf luosog *wrwch!* Dim ond yn yr unfed ganrif ar bymtheg y gwelwn yr amrywiad *hwre* ar glawr am y tro cyntaf tra bo *hwde (hwdy* mewn gwirionedd) i'w gael mewn llawysgrif o tua 1250. Ni wyddom o ble daw'r gair hwn, ond mae'n debyg mai gair brodorol yw gan ei fod yn digwydd mor gynnar. Dim ond ffurf orchmynnol ail unigol ac ail lluosog a geir. Felly ni cheir pethau fel **hwdaf neu **hwdiodd.* Y term am y fath ferfau yw 'berfau diffygiol'.

Mae amrywiadau ar *cymer* hefyd yn gyffredin, ond mae pethau creadigol iawn yn digwydd gyda hwn. Cofiwch mai'r ffurf orchmynnol wreiddiol oedd *cymer,* ond mae gennym hefyd y terfyniad gorchmynnol *-a* yn y Gymraeg. Mae hwn yn derfyniad gweddol newydd, neu o leiaf nid yw'n hen iawn, iawn. Ond er hyn mae'n gynhyrchiol, ac mae'n lledu, ac weithiau mae'n peri newidiadau eraill yn y gair.

Mae *cymer* yn digwydd yma ac acw (Cerrigydrudion, Meirionnydd, Ceredigion, Gors-las). Os gosodwn yr *-a* ar ei ddiwedd, cawn *cymera* (Gwalchmai, Croesor, Abererch, Llangeler, Cwm Gwendraeth, Dyffryn Aman). Weithiau ffurfiau heb yr *e* a geir (Rhyd-y-main, Pont-rhyd-y-fen, Cwm Gwendraeth, Gors-las). *Cwmra* yw'r ffurf a nodwyd ym Mhreseli. Un o ddulliau'r Gymraeg o ffurfio'r gorchmynnol yw gollwng y terfyniad a defnyddio bôn y ferf, e.e. *gweled / gwêl, sefyll / saf, cymeryd / cymer.* Mewn sawl ardal tybiwyd mai terfyniad oedd yr *-er* a lluniwyd ffurf orchmynnol newydd, sef *cym* (Môn, Llŷn, Penrhyndeudraeth, Sir Ddinbych). Efallai mai'r cam cyntaf oedd dehongli *cym* fel y bôn. Weithiau teimlir nad yw'n ddigon clir mai gorchymyn yw, ac felly, bydd llawer yn ychwanegu'r *-a* ato gan roi *cyma* (Môn, Conwy, Penrhyndeudraeth, Llŷn, Arfon, Blaenau Ffestiniog, Dolgellau, Sir Ddinbych). Efallai fod awgrym yma fod modd i *cyma* ddeillio o ddau le, sef *cymera > cymra > cyma,* ond hefyd ond hefyd *cym > cyma.* Gellid cymharu *cym* ag ambell ffurf orchmynnol arall sy'n ennill ei phlwy e.e. *sym* (symud) a *byt* (bwyta). Sylwch mai yn y Gogledd y mae'r amrywio mawr.

O ran tarddiad mae *cym(e)ryd* wedi ei lunio o *cym-ber-yd.* Y bôn yw *ber* 'cario, cludo', ac mae hwn i'w weld mewn llu o eiriau fel *cymer* (lle rhed dwy afon i'w gilydd), *aber* ac *adfer.* Mae gair Saesneg o'r un hen wreiddyn, sef *bear,* fel yn *'to bear a weight.'*

Mae hyn oll yn enghraifft ardderchog o sut mae ieithoedd yn newid, yn dibynnu yn aml ar sut mae pobol yn teimlo y dylid dweud rhywbeth, yn aml drwy newid gair i gydymffurfio â rhyw batrwm arall. Fel arfer bydd sawl amrywiad yn cyd-fyw am flynyddoedd, neu genedlaethau, ond yn y diwedd, bydd un yn aml yn disodli'r llall. I gloi, cawsom enghraifft ardderchog o hyn lle nododd un ei fod yn dweud '*cymer* (wrth fy nhad, Llanddewi Brefi), *cymra* (wrth fy mam, Dryslwyn)'.

Cynddrwg (ffurf gymharol drwg)

Yn *Blas ar Iaith Cwmderi* (t. 28) nodwyd mai *cyn'rwg* oedd ffurf y De ac mai *cyn waethed* â oedd yn arferol yn y Gogledd. Ond y gwir yw bod y sefyllfa yn fwy dyrys o lawer. Cofiwch mai'r ffurfiau safonol ar y rhediad yw *drwg* (cysefin), *cynddrwg* (cyfartal), *gwaeth* (cymharol) a *gwaethaf* (eithaf). Awn am daith o'r Gogledd i'r De.

Ffurfiau arferol y Gogledd yw *cyn waethed â* a *mor ddrwg â*, ond clywir *cynddrwg* gan nifer. Nododd un o Fynytho y canlynol '*cyn waethed â* yn naturiol ella, ond wedi cael fy nysgu bod hynny'n anghywir. Defnyddio *cynddrwg â* yn reit ddiymdrech erbyn hyn.' Cafwyd sylwad tebyg o Groeslon (ger Caernarfon) 'defnyddiem y ddau. *Cynddrwg* yn cael ei g'sidro'n fwy gramadegol'. Yng Nglynceiriog nodwyd *cyn waethed â*, *mor ddrwg â*, ond hefyd *cynddrwg â*, ond rhyw deimlad bod yr un ola yn fwy diweddar dan ddylanwad y cyfryngau falle. Ai dylanwad llyfrau ac athrawon Cymraeg sydd yma, ynteu a yw *cynddrwg* yn lled fyw yn gyffredin yn y Gogledd? Wn i ddim. Ychwanegwyd *cyn ddrycad â* o Walchmai ac o Lŷn. Mae *cyn gystlad* hefyd gan rai yn y Gogledd. *Ma fo waethed â chi!* a nodwyd yn Rhosllannerchrugog, ffurf annibynnol heb y *cyn*.

Symudwn i'r De. Mae amrywiadau ar *cynddrwg* yn tra-arglwyddiaethu yno. Yn Llanddewi Brefi nodwyd *cynrwg*, gyda *cinddrwg* ym Maenclochog a *cyndrwg* yn Llambed, Pontarddulais a'r Rhondda. Yn yr ail dywedir *wt ti gyndrwg a'r diafol 'i 'inan!* Mae'r clwstwr *-nddr-* yn weddol anhwylus. Mae'n debyg bod hwn yn troi'n *-ndr-* er mwyn cadw'r tafod yn yr un lle ar gyfer yr *n*, *y d* a'r *r*. Ceisiwch deimlo lle mae eich tafod wrth ddweud *-nddr-* a *-ndr-* ac fe welwch fod rhaid gwthio'r tafod allan tuag at y dannedd ac yn ôl i mewn wrth ddweud y cyntaf. Os dywedwch *-ndr-* mae'r tafod yn aros fwy neu lai yn yr un lle, sef ar y gorfant (yr 'alveolar ridge') – y darn caled hwnnw sydd y tu ôl i'ch dannedd uchaf.

Credaf mai *cynddrwg* yw'r ffurf hynaf, gyda *gwaethed* wedi'i ail-lunio ar sail *gwaeth*. Byddwn i'n amau mai ffurf ogleddol weddol ddiweddar yw *cyn ddrycad â*, ond ffurf iach sy'n cydymffurfio'n gadarn â rheolau'r Gymraeg. Mae *mor ddrwg â* yn ffurf weddol fodern am wn i, gyda'r symleiddio sy'n nodweddu pob iaith ryw ben. Gyda hwn does dim angen yr holl newidiadau seinegol eraill, dim ond treiglo ar ôl *mor*.

O ran *drwg* mae gennym y ffurf Gernyweg *'drog'* a'r Llydaweg *'droug'*, a'r Wyddeleg *'droch'*. Daw'r rhain oll o'r Gelteg **druko-* ond mae ei darddiad yn ansicr. Yn Ngâl, ddwy fil o flynyddoedd yn ôl, cawn enwau personol Celteg fel *Druco* a *Drucca*. Tybed beth a barodd fathu'r fath enwau.

O ran *gwaeth* mae gennym y ffurf Gernyweg *'gweth'*, y ffurf Lydaweg (diweddar) *'gwazh'* a'r Hen Wyddeleg *'facht'*. Byddai'r rhain oll yn tarddu'n rheolaidd o ffurf Gelteg **waxto-* (*x* – *ch*), ond mae ansicrwydd mawr am unrhyw darddiad pellach.

Chwerthin (WVBD 331, ISF 25)

Mae sawl math o chwerthin onid oes? O ryw biffian chwerthin distaw i chwerthin yn afreolus. Ym Môn gall merch *fynd i'w phlygion*, h.y. chwerthin *yn ei dyblau*. Gall Monwysion hefyd *chwerthin o fodia'u traed*. Gellir dweud *Aeth i'w phlygion gin chwerthin*. Yn y gogledd-orllewin gall rhywun fod yn *glana chwerthin*, neu yn *gelan* ym Methesda. Daw hwn o *celain* (corff marw) a'r lluosog *celaneddau*. Mae pethau fel *piso chwerthin*, *rhuo chwerthin* a *chrio chwerthin* hefyd yn gyffredin. Yng Nglyn Ceiriog gall rhywun fod yn *bostio chwerthin*. Yn y De, ym Metws Ifan, gall rhywun *chwerthin yn blet* ac yn ardal y Preseli nodwyd *wherthin nes bo' ni'n corco*. Yng Ngheredigion bydd pobol yn *chwerthin ar eu traws*. Yn ardal Abertawe *wyrthin* yw'r ynganiad, a gall rhywun *wyrthin sbo fi'n llefen* (chwerthin nes fy mod yn llefain). Yn Dre-fach Felindre nodwyd 'wherthin nes bod fy ochre i'n hollti! Wherthin nes mod i'n glwchu!! Wherthin nes mod i'n sâl! Bron marw ishe werthin! Pwffian wherthin! Wherthin iachus!'. Mae cael *pwl o chwerthin* yn gyffredin ledled y wlad.

Cofiwch mai *chwerthin am ben* pobol bydd y Gogs. Gall rhywun hefyd gael pwl, sef *chwerthiniad*, gall rhywbeth fod yn *chwerthinllyd* a *chwerthwr* yw rhywun sy'n gwneud hyn yn aml.

Ond beth yw tarddiad y gair hwn? Cychwynnwn drwy edrych ar y geiriau yn chwaerieithoedd y Gymraeg. Mewn Hen Gernyweg mae gennym y gair *'hwerthin'*, ac mewn Llydaweg Canol *'hwerzin'*, a *'c'hoarzin'* erbyn heddiw. Bôn y gair hwn yw *chwardd*, ac mae hwn i'w weld yn y ffurf safonol am 'mae e'n chwerthin', neu *chwarddwn* am 'rydyn ni'n

41

chwerthin'. Yr -*hin* ar ddiwedd chwerthin sy'n peri'r newidiadau i'r bôn. Mae'r *i* yn peri newid yr *a* yn *e* (fel *canu > cenir*). Affeithiad yw'r gair am y math hwn o newid, lle mae un llafariad yn dylanwadu ar un arall. Hefyd mae'r *h* yn dileisio'r *dd*, hynny yw mae'n troi'r *dd* yn *th*. Mae hyn yn rheolaidd yn y Gymraeg. Meddyliwch am *rhudd+hin* (coch+ymyl). Mae'r *hin* hwn i'w weld yn *hinog* (*rhinog* am 'stepen drws') a'r mynyddoedd Rhinogydd. Mae'n debyg ei fod yn cyfeirio at ryw nodwedd yn y tywodfaen coch, a rhoddodd.... *Rhuthin*, a drodd wedyn yn *Rhuthun* (gydag affeithiad arall). Ta waeth. Rydym bellach yn gwybod pam y trodd *chwardd+hin* yn chwerthin. Ond erbyn heddiw rydym wedi hen anghofio mai *chwardd* yw'r bôn, ac mae bôn newydd wedi'i greu, sef *chwerth*. Felly bydd Cofis er enghraifft yn dweud *Mi chwerthish i*. Ceir hefyd y bôn *chwerthin-* e.e. 'Chwerthinais ar y rhai oedd yn dy griw' ('Mr Duw' gan Edward H. Dafis). Olffurfiad yw'r gair am hwn, sef ein bod yn llunio geiryn newydd ar sail rhywbeth arloesol.

Mae'r gair hwn yn digwydd yn un o'r darnau hynaf a ysgrifennwyd yn yr iaith Gymraeg, sef yn 'Englynion y Juvencus', o'r nawfed ganrif. Yn y cerddi hyn mae uchelwr o Gymro yn galaru ei sefyllfa drist, ar ei ben ei hun ac yn cyfarch ei was dan gwyno am ei golledion milwrol:

> nicanamniguardam nicusam henoid
> *Ni chanaf, ni warddaf, ni chusaf henoeth*
> (Ni chanaf, ni chwarddaf, ni siaradaf heno)

Un peth diddorol yma yw bod gennym amrywiad ar y *chw-*, sef *gw-*. Yn rhyfedd ddigon mae hyn yn digwydd gyda *chwarae* a *gwarae* hefyd. Gwaetha'r modd nid oes neb yn gwybod o ble daw'r gair hwn. Mae hyn oll yn *dipyn o laff* yntydi? A dyma ni'n gweld gair o'r Saesneg yn cyfoethogi'n hiaith.

Deheu, deche, dethe (GEM 32/131, GRhIDA 294, FWI 122)
Dyma air sy'n golygu 'medrus gyda dwylo' neu 'addas, bonheddig, dibynadwy'. Yn y Gogledd yr ynganiad arferol yw *detha* neu *dethe*. Ym Maldwyn ac i'r de o'r sir yr ynganiad yw *deche*. Yn hyn o beth mae Maldwyn yn tynnu fwy at y De na'r Gogledd. Noda GPC y clywid *dethe* mewn rhannau o Geredigion a Dyfed, ond prin oedd y rhai oedd yn gyfarwydd â'r ffurf hon yno erbyn heddiw.

Ledled Cymru mae *dethe* a *deche* yn golygu medrus â'r dwylo, er enghraifft '*Un detha ydy o*' (yn dda ei law neu yn grefftus) ac yn Arfon gellid dweud bod rhywun '*wedi g'neud job ddetha*'. Yn Sir Ddinbych gellid dweud bod '*plentyn bach yn ddethe wrth wneud jig-so*' er engraifft. Mae'r ystyr hon yn gyffredin ledled y wlad. Yng ngogledd Maldwyn gellir dweud, ar ôl prynu rhywbeth am bris derbyniol, '*Roedd y crys ma'n ddigon deche*'. Yn y De mae *deche* hefyd yn gallu cyfeirio at berson dymunol a dibynadwy, e.e. '*bachan deche yw e*'. Gall olygu '*tidy*' hefyd, *Cofia wisgo'n ddeche* (Llanddewi Brefi).

Yn y Gogledd y *tu detha* yw'r ochr groes i *tu chwithig. The right side out* yn hytrach nag '*inside out*'. Gellir dweud wrth blentyn i droi dillad sydd yn flêr ar y llawr y *tu detha allan*.

Mae'r ffurfiau Celteg a drafodir isod (*dexs- 'dechs' yn ein horgraff ni) yn awgrymu mai *decheu* yw'r ffurf hynaf, a chadarnheir hyn gan y Gernyweg '*dyghow*' a'r Llydaweg '*dehou*'. Os felly trodd *decheu* yn *deheu*, a hynny'n bur gynnar yn hanes y Gymraeg. Gwyddom hyn oherwydd mai *deheu* yw'r ffurf gyffredin yn yr holl enghreifftiau o Gymraeg Canol. Mae'n aneglur sut a pham y datblygodd *decheu* a *dethau*. Cofiwch mai mympwy cyfieithwyr y Beibl yn unig sy'n peri inni ysgrifennu -*au* yn hytrach nag -*eu*. Un posibilrwydd yw i *deheu* droi yn *decheu* gan fod *h* ac *ch* yn seiniau a gaiff eu gwneud mewn man tebyg yn y geg. Efallai i *decheu* wedyn droi'n *detheu*, a hynny oherwydd dadfathiad. Mae *th* a *d* yn seiniau 'deintiol' sy'n cael eu cynanu ar neu rhwng y dannedd blaen (neu'r gorfant yn y De), ac wrth newid un byddid yn osgoi dwy sain ddeintiol yn yr un gair, *detheu* > *decheu*. Ond nid yw hyn yn sicr, ac mae'n rhyfedd nad yw'r ffurfiau ar glawr yn weddol gynnar. Ymddengys fod rhywbeth tebyg wedi digwydd yn y Llydaweg gan mai *dehou* yw eu ffurf nhw, ond yma mae'r sain 'ch' rhwng llafariaid yn gyffredinol yn wan. Dyna pam mai *bihan* yw eu ffurf hwy am *bychan*, ac erbyn hyn ni seinir yr *h*.

Mae'r Hen Wyddeleg *dess* yn perthyn hefyd. O gywasgu *dehau* cawsom *deau*, ac efallai y tybid mai ffurf luosog ydoedd. Lluniwyd felly ffurf unigol newydd, sef *de*. 'Ol-ffurfio' yw'r term am hyn. Mae'r ffurf geidwadol *deheu* i'w weld yn *Deheubarth*, sef 'rhanbarth deheuol' gan gofio bod *parth* yn golygu 'ardal' a'i fod, fel y Saesneg *part*, yn tarddu o'r gair Lladin *part-* (ffurf draws *pars*). Mae'n digwydd hefyd yn *deheuig*.

Tynnodd un aelod ein sylw at englyn smala gan y prifardd Dic Jones:

'Hysbyseb am Wraig':

Rwyf am gymar fyddar, fud, – wen, fwyn, ddoeth,
    Fain, ddethe a diwyd.
Os ga i un sy'n bres i gyd
Mi af a'i mam hi hefyd!

Beth am darddiad y gair hwn? Byddai arbenigwyr yn ailffurfio bôn gair Celtaidd fel *dek̂* - 'de, cywir'. I hwn ychwanegwyd terfyniadau i roi *dexsiuo-* yng Ngâl, ac mae i'w weld yn *Dexsiua*, un o dduwiesau niferus y Celtiaid yn y rhan hon o'r byd. Mae'n debyg bod a wnelo'r dduwies hon â ffawd neu lwc. Yn Sbaen roedd lle o'r enw *Desso-briga*. Yn y Gymraeg, *Deheu-fre* fyddai, sy'n golygu 'caer y De' mae'n debyg. Mae gair Lladin sy'n gytras â *deheu*, ac ohono daeth y geiriau '*dexterous*' ac '*ambidexterous*', ill dau'n cyfeirio at fod yn fedrus â'r dwylo.

Y gair croes heddiw yw *chwith*. Y syniad yw, wrth eich bod yn wynebu haul y wawr, mai eich llaw dda (deheu) yw'r De (a ddaw o *deheu*) a'ch llaw wael yw'r *chwith* neu'r *cledd*. O hwn y cawsom *go-gledd*. Cadwyd y gair hwn yn y Gernyweg '*cleth*' (neu *cledh*) a'r Llydaweg '*kleiz*'. Yn wir, ystyr wreiddiol *chwith* oedd 'drwg, chwithig' yn hytrach na '*left*'. Petaech yn gofyn i lawer o Gymry byddech yn sylwi bod yr ystyr 'drwg, chwithig' lawn mor gyffredin â '*left*'. Gallem gymharu â '*sinistra*' yr Eidaleg a '*maladroit*' y Ffrangeg.

Un pwt arall. Mae caer sylweddol yn Lanarkshire (yn yr Alban) mewn ardal a fu yn rhan o deyrnas Frythonig Ystrad Clud, a'i henw yw Cadzow. Cofiwch fod yr z yma yn un o ddulliau'r Sgotiaid o ysgrifennu *i*. Y gwir yw mai addasiad lled ddiweddar yw'r z, a'i bod yn deillio o'r llythyren 'yogh' sef ȝ. Ffurf ar y llythyren *g* yw yn hanesyddol, ac mewn Hen Saesneg safai ȝ am yr *i* yn *iaith* neu *Iesu*. Dyma sut y cawsom y cyfenw Albanaidd MacKenzie. Daw hwn o MacCoinnich [maxˈkʰɣɲɪç], felly mae ei ynganu â z yn y canol yn anhanesyddol, neu hyd yn oed yn gamarweiniol. 'Cadiow' yw'r ynganiad felly, a chynigiodd un mai *Caer Dehou* (hen ffurf *deheu*) yw, ac yn wir, mae'r gaer bwysig hon i'r de o ganolbwynt y deyrnas hon yn Gofan (Govan, < *go-+bann* 'bryncyn bychan') lle arwisgid brenhinoedd y deyrnas.

Diolch (WVBD 90, ADP 70)

Os ewch i'r Gogledd-orllewin fe glywch bobl yn dweud *diolch yn dew* neu *diolch yn dalpia* (ADP 70). Yn Llandysul y ffurf yw *diolch yn dwlpe*, a *diolch yn dwlps* yn Gors-las. Ym Mhencader cawsom *diolch yn dalpe* a *rheiny'n lwmpe*.

Mae *diolch byth* ar lafar yn gyffredinol. Yn y Gogledd clywn y gair *diolchach* e.e. Ar lafar 'Dydw'i ddim gronyn diolchach i chi am ych hen weniaith' (GPC). Mae'r ymadroddion canlynol yn gyffredin hefyd: *diolch i Dduw!, diolch o galon*, ac mae'r canlynol yn mynegi teimlad o ryddhad: *diolch byth, diolch i'r Mawredd, diolch i'r nefoedd!* a *diolch i'r drefn*, a pheidiwch ag anghofio y gall pobl fod hefyd yn *ddiddiolch*.

Mae tueddiad gweddol gyffredin yn y Gogledd i golli'r 'l' ac ynganu'r gair fel 'dioch'. Ac yn y De yr ynganiad arferol yw 'jiolch', gyda'r 'di' wedi troi'n 'j' fel yn 'jiawl'. Digwyddodd hyn ar ôl i'r geiriau deusill 'di-olch' a 'di-awl' droi'n unsill. Mae ffurfiau ar *thanciw* yn gyffredin hefyd. O'r Saesneg y daw hwn wrth gwrs, ac mae'n perthyn i'r gair *'think'*.

Ond o ble daw'r gair Cymraeg hysbys hwn? Y cam cyntaf yw edrych ar yr hen ffurfiau. Un o'r ffurfiau cynharaf un, i'w gael yn *Llyfr Gwyn Rhydderch* (tua 1400), yw *diolwch*, ac mae hwn yn arferol hyd at Feibl enwog William Morgan, a gyhoeddwyd yn 1588. A oes modd rhannu'r gair yn elfennau unigol? Mae *di-* yn digwydd yn gyffredin fel elfen gyntaf geiriau. Barn *Geiriadur Prifysgol Cymru* yw mai y rhagenw *ti* sydd yma, gyda'r ail elfen *golwch* 'moli'. Ystyr 'diolch' felly fyddai rhywbeth fel 'boed mawl i ti'. Mae'n debyg bod hwn yn perthyn i '*-tluch*' mewn Hen Wyddeleg (LEIA T-79, o *'to-luch'*) ond mae'r union berthynas yn ansicr, oherwydd ni ddylai *ch* yn yr Wyddeleg gyfateb i *ch* yn y Gymraeg. Gallai hyn fod yn awgrym bod y gair wedi'i fenthyca o un iaith i'r llall.

Efallai fod rhai ohonoch wedi clywed bod Llydawyr yn dweud *'trugarez'* am *diolch*. Eu ffurf hwy ar *trugaredd* yw hon wrth gwrs. Y gwir amdani yw mai ffurf buryddol yw, oherwydd mai cyfieithiad yw o *'merci'* yn y Ffrangeg. Y gair *mersi* a ddefnyddir gan siaradwyr brodorol.

Cofiwch felly, bob tro y byddwn yn dweud *diolch*, eich bod yn gofyn i berson canmolus gael ei foli.

Don't Care a Damn! (BICwm 24)

Maddeuwch imi am y teitl Saesneg, ond o leiaf mae'n osgoi gorfod dewis o blith amryfal ffyrdd y Cymry o fynegi hyn! Gan fod hwn yn ebychiad mor bersonol, bu'r cyfranwyr mor garedig â nodi ffurfiau llafar eu hardaloedd, felly wna i ddim ymyrryd llawer â'u horgraff nhw ac os nad ydych chi'n fodlon... wel affliw o otsh gen i!

Yn *Blas ar Iaith Cwmderi* (t.24) nodwyd *Sdim cracen o ots 'da fi* yn y De. Yn gyffredinol yn y De-ddwyrain clywch *Sdim taten/tamed* (*tymed*) *o ots gyda fi*. Ymadrodd gweddol foneddigaidd yw *'Sdim gwanieth 'da fi*. Ym Maenclochog bytheirir *Sdim whithrin o ots 'da fi*, ond mae *yffach o ots da fi* yn dipyn cryfach, fel *'Soi'n becso dim o'r dam!* (Tŷ-croes, Sir Gâr). Yng Nghwm-twrch, ceir *'Sai'n becso taten*. Syndod oedd i neb nodi *'sneb yn becso dam* a ddaeth mor adnabyddus diolch i albwm Edward H. Dafis.

Yn y Gogledd, digon cwrtais yw *'motsh gin i* (gogledd-orllewin) a *waeth gen i amdano* a *tydw i'n hidio'r un ffadan beni*. *Tydw i'n hidio'r un botwm corn* a geir yn Arfon, ac yng Nglynceiriog, *dim blewyn o ots gen i*. Ym Meirionnydd a Sir Ddinbych, *Dio'm bwys* sy'n arferol neu *dim mymryn o bwys*, ac ym Môn, fydd Monwysion ddim yn *malio yr un ffeuan*. Os yw'r teimlad dipyn yn boethach dywedir ag angerdd *dim affliw o ots gin i*, *diawl ots gen i*, neu'n boethach byth neu *uffarn o ots gin i*. Yn Harlech clywir *dim uffarn o bwys gen i*, ac yn ardal Corwen dywedir *dio ddiawl o bwys gennai*. Ar lafar bydd hogiau a genod drwg hefyd yn defnyddio *ff*c o ots* pan fyddant wedi corddi.

O'r Saesneg '*odds*' y daw *ots*. Y tro cyntaf y digwydd ar glawr yn y Gymraeg yw rhwng 1550-80.

> athro oedd waith hiradduc
> o<u>ds</u> o ddiar gambri<u>ds</u> a dduc.

Mae'r gynghanedd yn dangos mai -ds- oedd yr ynganiad, ond ymddengys fod *otsh* yn gyffredin bellach.

Nid oes gennyf affliw o syniad o ble daeth *affliw*, a dim ond yn 1842 y digwydd yr enghraifft gynharaf. O'r Saesneg '*heed*' y daw *hidio*, fel ag yn '*take heed*'. Mae hwn o bosibl yn tarddu o PIE **kad^h*- 'cadw, gwylio, gorchuddio', fel a welir yn y Llad. '*cassis*' 'helmet' a'r Saesneg '*hat*'. Mae'n bosibl hefyd fod *caddug* yn tarddu o'r un gwreiddyn. Daw becso o'r Saesneg '*to vex*'. Trowyd '*v-*' yn *b-* oherwydd nad oes geiriau Cymraeg cysefin brodorol yn dechrau â'r sain hon. Yng ngwaith Daniel Owen cawn y ffurf *fecsio*. Hawdd hefyd feddwl mai ffurf dreigledig a geir mewn ymadroddion fel *llawer o fecso*, ac adfer (ar gam) y *b-*.

Drewi fel...

Pan fôm eisiau cyfleu drewdod eithafol fel arfer bydd pobol yn cyfeirio at gorff anifail marw. Yn y Gogledd-orllewin dywedir *drewi fel buria*. Mae tarddiad y gair *buria* yn anhysbys, er bod gennym gofnod ohono o'r drydedd ganrif ar ddeg. Nodwyd yr amrywiad *buriad* yn Eryri. Mae *drewi fel burgyn* yn gyffredin yn y Gogledd. Mae'n debyg bod hwn yn dod o'r Saesneg Canol *morkin*, sydd yn ei dro yn tarddu o *mortkin*. Methais gael hyd i darddiad hwn, ond byddwn yn tybio mai '*mort*', y gair Ffrangeg am 'marw', yw'r elfen gyntaf. Mae *drewi* fel *sbangi* (< *span(iel)+ci*) yn digwydd yng Ngwalchmai, a *drewi fel ffwlbart* (polecat) yn gyffredin yn y Gogledd. Ym Methesda clywir *drewi fatha twll din ffurat*, ac ym Môn *drewi fel tro(n)s cneifiwr neu drewi fel criglan neu cigladd*. Mae tarddiad *criglan* yn dywyll, ond gair am anifail marw yw *cigladd*. Mae *drewi fel gingron* yn hysbys yma ac acw. Bydd llawer yn tyfu ar gyrion hen domenydd tail. Enw arall ar y tyfiant drewllyd hwn ym Môn yw *Coc Carnera* ar ôl y bocsiwr pwysa trwm o'r Eidal Primo Carnera. '*Stink-horn*' yw un o enwau'r planhigyn hwn yn y Saesneg. Daw *cingron* o *cingroen*, sef *cin* '*cerpyn*' a *croen*, ac mae golwg reit awgrymiadol arno, un sydd i'w weld yn ei enw Ladin, sef *phallus impudicus*. Ond gadawaf i chi wneud eich ymchwil yma.

Ceir *drewi fel caren* yn y De, a ffurf yw hwn ar y gair Saesneg *carrion*. Ym Mhenfro y ffurf yw *caran*. O'r Hen Ffrangeg '*charogne*' y daw, a hwnnw yn ei dro yn deillio o'r Lladin '*caro*', sef 'darn o gig', a 'darn' yn wreiddiol. Daw hwn o'r gwreiddyn PIE *(s)ker-* 'torri', ac mae hwn i'w weld yn '*carnage*', '*carnivore*', '*cortex*', '*score*', '*sharp*', '*shear*', '*shirt*' (y ffurf gytras Lychlynaidd yw '*shirt*'. Ond nid dyma'r lle i orfanylu ar y gair unigol hwn. Yng Nghapel Iwan ceir *drewi fel abo*. Mae GPC yn nodi *drewi fel apw* yng Ngorllewin Morgannwg. Gair am gorff anifail marw yw hwn, ac mae'n debyg ei fod yn perthyn i'r geiriau *abw* ac *abar*, ond mae tarddiad y rhain yn dywyll hefyd. Cafwyd *drewi fel corwg* yn Llanddewi Brefi. Mae *drewi fel pria* yn gyffredin i'r de o Gastellnewydd Emlyn. Tybed ai amrywiad ar *buria* yw? *Drewi fel sgadenyn* ('*herring*') a ddywedir yn ardal y Preseli. Ym Mhencarreg gellir drewi fel *cig trig*. Byddwn i'n amau mai o'r gair *trigo* 'marw anifail' y daw hwn, a ddaw o Gymraeg Canol *terigo*. Yng Nghwm Rhondda nodwyd *drewi naw perth a hewl*, ac roedd hwn yn hysbys yn Nyffryn Llwchwr gynt. *Drewi naw perth a chamfa* a nodwyd yng Nghanol Ceredigion (FWI 21). Ond ni wn beth yw ei darddiad. Mae tarddiad *drewi* yn aneglur hefyd, er ei bod yn bosibl ei fod yn perthyn i '*dreógad*', 'pydru' mewn Hen Wyddeleg.

Ger Porth-cawl ceir Heol Drewi, Nant Drewi ym Mlaenau Ffestiniog a Ffynnon Drewi yn Llanwrtyd. Tybed pam yn union!

Drws Agored (APD 112)

Beth fyddwch chi'n ei ddweud wrth rywun sy'n dod i mewn i ystafell ond yn anghofio cau'r drws? Mae sawl ffordd o atgoffa'r anghofus.

Gest ti dy eni ar y mynydd?	Llanddewi Brefi
Ges ti dy eni mewn stabal?	Aberteifi
Cer nôl a rho'r pren yn y twll!	Gors-las
Wti'n byw mewn ogof?	Pen Llŷn
Ti 'di dy fagu mewn cae?	Gogledd-orllewin
Fuost ri 'rioed yn Llundan?	Gogledd-orllewin

Dumb-down

Y farn gyffredinol oedd mai *glastwreiddio* yw'r gair brodorol agosaf ei ystyr. Nododd un *gorsymleiddio*, ond mae'n ymddangos bod *twpeiddio* bellach wedi ennill ei blwyf yma ac acw, er nad yw hyd yn hyn wedi cyrraedd golygyddion GPC.

Dyrnfol (WVBD 113, ISF 38, GLLG 24)

Faint ohonoch sy'n gyfarwydd â chywydd hyfryd Dafydd ap Gwilym i'r wylan? Mae'n agor fel hyn, mewn orgraff fodern:

Yr wylan deg ar lanw dioer	*Yr wylan deg, ar lanw, yn sicr*
Unlliw ag eiry neu wenlloer.	*o'r un lliw ag eira neu'r lloer wen,*
Dilwch yw dy degwch di,	*mae dy degwch di heb frycheuyn arno,*
Darn fel haul, **dyrnfol** heli.	*Darn fel haul, maneg ddur y môr.*[1]

Dichon bod y rhan fwyaf yn ddigon rhwydd i'w ddeall, yn enwedig os cofiwn mai 'yn sicr' yw *dioer* (Duw a ŵyr) ac mai 'difrycheulyd' yw *dilwch* (di-+llwch). Beth felly yw *dyrnfol*? Maneg fawr yw, un heb fysedd yn wreiddiol. Yn y cyd-destun hwn mae'n cyfeirio at '*gauntlet*' sef maneg ddur y marchog, un ddisglair a gloyw.

Dim ond yn Llanfairpwllgwyngyll y nodwyd bod y ffurf *dyrnol* ar lafar o hyd. Ni nododd neb y ffurfiau hyn o ardal Bangor ganrif yn ôl, sef *dyrnil*, a *dyrnol*, a'r ffurf unigol *dyrnolan*. Yr unig le y cafodd ei nodi fel gair byw oedd yn ardal Conwy, a'r ffurf erbyn heddiw yw *dyrnwil*. Cyfeirio a wna at y menyg trwchus hynny a gaiff eu defnyddio gan ffermwyr, neu wrth arddio.

---

[1] Diweddariad gan Gwyn Thomas.

O'r geiriau *dwrn* a *bol* y daw. Mae trafodaethau am darddiad y ddau air hyn yn *Amrywiaith* 2, dan 'bolio' a 'dryntol'. Efallai bod 'dwrn' yma yn golygu 'llaw', gan mai dyna'r ystyr yn y Llydaweg a'r Gernyweg. Ystyr wreiddiol *bol* oedd *cwdyn* 'rhywbeth sy'n chwyddo', felly 'cwdyn am y dwrn, neu'r llaw' oedd hwn yn wreiddiol. Nodwyd bod lle o'r enw Bawd-y-ddyrnol yn Llangristiolus ym Môn. O chwilio yn *Archif Melville Richards* (ar-lein) gwelais fod Felin Dyrnol a Mynydd Dyrnol yn Sir Drefaldwyn, ond nid oes gennyf eglurhad am yr enwau.

Dysgwyr Cymraeg y Wladfa

Dyma fanylion a gyflwynwyd inni gan un sydd wedi bod yn gweithio yn y Wladfa. Cynrychiola'r rhain y nifer sy'n mynychu dosbarthiadau nos.

	Gaiman a Dolavon	Trelew a Phorth Madryn	Yr Andes	Cyfanswm
2019	965	226	220	1,411
2018	831	210	195	1,236
2017	758	165	203	1,126
2016	873	185	212	1,270
2015	739	200	281	1,220
2014	722	251	201	1,174
2013	657	171	157	985
2012	607	145	225	977
2011	582	133	131	846
2010	527	85	150	762

Dywedwst, tawedog (GDD 115, GEM 98, BICwm 35)

Holi yr oeddwn am yr hyn a ddywedir am bobol dawel, sydd ddim yn siarad llawer. Mae'r sefyllfa yn y Gogledd yn ddigon syml, gyda'r rhan fwyaf yn gyfarwydd iawn â *tawedog* am rywun na fydd yn siarad llawer. Noda pawb, bron, fod y gair *dywedwst* yn hollol ddieithr... ar wahân i rai ym Meirionnydd lle mae'n weddol gyffredin. Y ffurf a gofnodwyd yno bron i ganrif yn ôl oedd *dedwst*[2]. Dim ond yn Llandderfel (ger y Bala) y nodwyd bod *dedwst* yn hysbys ar hyn o bryd.

---

[2] GRIFFITH, J. H. 1934. 'Geiriau o Ardal Rhydymain, Dolgellau'. *The Bulletin of the Board of Celtic Studies*, III.iii, 196-98.

Ymddengys fod hwn yn ddigon cyfarwydd yn y De hefyd, yma ac acw o leiaf. Ond mae'n anodd gweld patrwm clir gyda rhai'n nodi *dywedws* ac eraill yn nodi *dywedwst*. Nododd llawer fod *dywedwst* yn gyfarwydd ond heb fanylu ar yr ynganiad.

P'run bynnag, cychwynnwn gyda Cheredigion lle mai'r ffurf gyda -t ar ei phen sydd fwyaf cyffredin. Gellir clywed pethau fel 'Be' sy'n bo' 'na ti? Ti'n ddiwedwst iawn'. Os symudwn fwy i'r de cawn mai *di̱wedwst* sydd yn arferol, ond mae'n cyd-fyw â *diwedws*, heb y -t. Yn Llandudoch, Gwauncaegurwen a'r Preseli nodwyd y ffurf *dwedwst*, gyda cholli'r llafariad gyntaf, sy'n ddiacen. Yn Llandysul, Llanelli, Cwmafan a Llandysul nodwyd *diddwedws* ond yng Nghribyn clywyd *gwedwst*, ond yn Dre-fach Felindre sonnir am *berson wedwst*, gyda'r ffurf dreigledig wedi datblygu'n ffurf gysefin. Ceir caladiad Morgannwg ym Mrynaman gyda *diwetws* yno, a *dwetwst* yn Hirwaun. Nodwyd bod 'dyn yn Port Talbot gyda'r enw Twmws Tywetws. Dyn oedd bron byth yn ynganu gair.'

Mae'n anodd iawn gennyf wybod sut i wneud synnwyr o hyn oll. Anhawster arall yw na wyddom ei darddiad gyda GPC yn cynnig yn amwys '?bôn *tawedog*+-*gwst* neu'r trf. -*ws*'. Ar ben hyn oll nid oes enghreifftiau cynnar (canoloesol) sy'n awgrymu mai gair bath hynafiaethol yw:

1714 iacha'r ymarferiad o ofer dyngu ... wrth fod yn dwedwst [twedwst].
1722 *dywedwst*, silent, of few words.
1725 *tawedwst* d.g. tongue, one that holds his tongue.
1728 fe a ddechreuodd fyned yn dywedwst ac yn afrywiog.
1776 bod yn wedwst (yn ddywedwst) d.g. mumps, to be in the mumps, silent.

Anodd iawn gennyf wybod beth yn union sy'n digwydd yma. Mae colli llafariad gyntaf ddiacen mewn gair teirsill yn ddigon cyffredin, ac mae troi *y* yn *i* yn y fath sillaf yn arferol yn y De-ddwyrain. Mae'r enghreifftiau uchod yn awgrymu mai -*wst* yw'r diwedd hanesyddol yn hytrach nag -*ws*. Gellid hefyd ddadlau bod *tawedwst* wedi troi'n *ty-* oherwydd gwendid llafariaid yn y sefyllfa hon. Dim ond yn 1783 y cawn yr enghraifft ysgrifenedig gyntaf o *gwedwst*, ac mae'n siŵr bod GPC yn gywir yn nodi mai talfyriad yw o *dywedwst* oherwydd camdybio mai bôn *dywedaf* / *dywedyd* yw'r elfen gyntaf ynddo. Yn wir, efallai mai hyn sy'n egluro *diweud* ym Mhontyberem a *diwed* yn y Rhondda, os nad yw'r rhain yn fathiadau gwreiddiol sy'n cynnwys *di*+*gwe(u)d*. Cawsom enghraifft hyfryd o'r gair hwn yn nhafodiaith y Rhondda: 'Wyt ti'n ddiwed iawn 'eddi, ti mor ddishdo a'r bedd yn y cornal 'na'.

Nododd un bod 'Pontwedwst' ger Cwm Morgan a Chapel Iwan, ond rwyf wedi methu cael hyd iddo ar y we. Nododd rhai yn y De fod *tawedog* yn gyfarwydd, ond mai rhywbeth dros dro yw, yn hytrach na chyflwr parhaol.

Fry / obry (FWI 124)

Obry blodeuai Ebrill,
Ymwelai Mai a'i lu mill,
A dawns y don sidanaidd
A'r hallt fôr lle tyfai haidd.

        'Cantre'r Gwaelod' gan R. Williams Parry

Dim ond rhai ohonoch fydd yn gyfarwydd â'r gair hwn. Efallai y bydd Gogleddwyr yn gwybod amdano mewn enwau lleoedd. Ym Mhenrhyndeudraeth ceir *Tŷ Fry* a *Tŷ Obry*, gyda'r cyntaf ychydig yn uwch i fyny'r allt na'r llall. Yn wir ceir enwau tebyg yma ac acw ledled y wlad. Beth felly yw *fry* ac *obry*? Roedden nhw'n cyfleu *i fyny* ac *i lawr*, ac yn debyg i *uchaf* ac *isaf* mewn enwau lleoedd.

Erbyn hyn dim ond yng Ngogledd Penfro, De Ceredigion a Sir Gâr y maent ar lafar yn gyffredin hyd heddiw, a'r *o* fel arfer wedi troi'n *w*. Mae *lawr wbry* yn gyffredin yn ardal Clydau, sef y gwrthwyneb i *lan fry*. Mae *lawr wbry* yn gyffredin hefyd yng Nghapel Iwan. Yn Nhrefenter nid yw'r *o* hanesyddol wedi troi'n *w* a byddant yn dweud *lan obry*, sef *lan man draw*. Yng Nghwm Gwaun gellir dweud 'Mae'r tin biscis lan fry mâs o gafel y plant'.

Mae'r enwau lleoedd uchod yn dangos bod y gair ar lafar yn y Gogledd ar un pryd, ond mae'n anodd gwybod pryd y cafodd ei ddisodli gan eiriau eraill. Dim ond yn Eryri y nodwyd y dywediad *fry yn yr awyr*, a nodwyd nad oedd *obry* yn gyfarwydd.

Nodais y cywydd uchod er mwyn dangos sut y gall cerddi (cywydd yn yr achos hwn) cyfarwydd gynnal neu adfer geiriau coll, neu o leiaf ddod â geiriau tafodieithol i sylw'r wlad gyfan. Dywedodd un o Henllan (Llandysul) mai 'Obry blodeuai Ebrill' oedd geiriau cyntaf cân Cerdd Dant a ganodd côr yr ysgol mewn cystadleuaeth ffansi flynyddoedd yn ôl. Ychwanegodd hithau 'Sai wedi clywed y gair ers hynny, tua 28 mlynedd nôl!' Nododd un o Fynytho ei bod yn 'gwybod amdanyn nhw [*fry* ac *obry*], ond ddim yn eu defnyddio heblaw efo teulu agos iawn, am sbort. Cofio T. Arfon Williams (y bardd) yn gwneud y cyhoeddiadau yng nghapel Ebeneser Caerdydd yn yr 80au pan oeddwn i'n y coleg, ac yn deud bob bore Sul – 'cynhelir yr Ysgol Sul yn y festri obry'.' Gall clywed gair dieithr unwaith fod yn ddigon i'w gadw yn y cof trwy gydol ein bywydau. Mae'n siŵr bod gennym oll gof am glywed gair anghyfarwydd am y tro cyntaf. Os clywn y gair yn ddigon aml, mae'n ddigon posibl y bydd yn dod yn rhan o'n hiaith feunyddiol. A beth am *Fry yn y nen*, gan Edward H. Dafis?

Beth am darddiad y rhain? Daw'r ddau o †*bry*[3] (< *brixs*), ffurf draws ar *bre* 'bryn'. Go brin bod hynny yn gwneud llawer o synnwyr i'r rhan fwyaf ohonoch. Dechreuaf â'r gair *bre*, gair na byddwn yn ei ddefnyddio bellach, ond un sydd i'w weld yn weddol gyffredin mewn enwau lleoedd fel Moelfre, sef 'y bryn moel'. Hen air am fryn yw, ac yn y pen draw mae'n perthyn iddo. Caiff *bry* ei dreiglo gan ei fod yn cael ei ddefnyddio fel adferf fel arfer, i gyfeirio at le.

Beth am fynd ar drywydd *bre*? Mae i'w gael mewn enwau lleoedd yng Nghernyw, fel Bray a Brea, a digwydd yn y Llydaweg hefyd, er enghraifft yn 'Brelevenez'. Daw hwn o'r gair Celteg *brigā* ac mae'n gyffredin iawn mewn enwau lleoedd fel *Nemeto-briga* (Nyfedfre) yng Ngalisia ger Puebla de Trives, neu Segobriga (Hyfre) sef olion hen dref i'r gogledd o Sbaen. Enghraifft arall yw Nerto-briga (Nerthfre) ger Jerez de los Cabelleros yn Sbaen. Yn wir, mae'n gyffredin iawn yn Hispania (Sbaen), o leiaf yn y canolbarth a'r gogledd lle siaredid Celtibereg. Mae'n debyg mai hwn oedd y gair mwyaf cyffredin am ddin (ein hen air am 'hillfort'). Mae'n digwydd yn Coimbra hefyd, ym Mhortiwgal, ond yma mae'n debyg mai gair cyn-Geltaidd yw'r elfen gyntaf.

Daw *bre* o'r gwreiddyn PIE *bhrĝh-* 'uchel, dyrchafedig', ac o hwn hefyd y daeth y gair Almaeneg *Berg*. Meddyliwch felly am Battenberg, neu 'iceberg', a pheidiwch â phoeni gormod am yr holl sumbolau dychrynllyd uchod (fry).

Geiriau arall sy'n perthyn yw *bri*, *brenin* a *braint*. Y gair Gwyddeleg sy'n cyfateb i *braint* yw *Brigit*, sef enw'r santes enwog. Daw'r ddau air hyn o *bhrĝh-nt-iH*, ond peidiwch â phoeni am yr holl sumbolau rhyfedd hyn. Mae hwn i'w weld hefyd yn Afon Braint ym Môn, a'r llwyth Celtaidd *Brigantes* a reolai ogledd 'Lloegr' yn y cyfnod Rhufeinig. Am drafodaeth ddwys gweler BLITON (s.v. *bre*[ɣ]). Mae'r Athro John Koch yn trafod yr enw llwyth hwn yn ei lyfr diweddar *Celto-Germanic* (sydd ar-lein) ac yn nodi bod Burgundy hefyd yn tarddu o ffurf hynafol ar yr enw.

---

[3] Sumbol y 'dagger' yw hwn, ac mae'n golygu bod rhywbeth yn farw. Yn y cyd-destun hwn mae'n golygu nad yw'r gair bellach ar lafar.

Ffurfiau Benywaidd Ansoddeiriau

Mae'n debyg bod pawb yn gwybod am ffurfiau benywaidd rhai ansoddeiriau. Un dull o ddangos hyn yw trwy newid llafariad y sillaf olaf:

y > e		w > o	
tŷ melyn	caseg felen	llyn dwfn	afon ddofn
cawr cryf	barn gref	llygaid tlws	merch dlos
tymor gwlyb	blwyddyn wleb	gaeaf llwm	Hafod Lom
dyn byr	stori fer		
trowsus gwyn	ffrog wen		
llyfr gwyrdd	cot werdd		
tŷ gwyn	hosan wen		

Y farn gyffredinol yw bod defnydd o'r rhain yn parhau yn ddigon cadarn. Nododd ambell un y byddent yn fwy tebygol o ddweud *wlyb* yn hytrach na *wleb*. Yng Ngheredigion nodwyd nad oedd *dofn, tlos* na *llom* yn arferol. Yn y Rhondda nodwyd 'cot felan, ffrog felan, 'osan felan a bron dim byd arall (gwyrdd/ werdd yn debyg)'. Ychydig dros ganrif yn ôl byddai pobl yn sôn am *bregeth sech* (sych) ond ni nododd neb bod hyn ar lafar heddiw.

Pam mae hyn yn digwydd? Er mwyn deall hyn rhaid mynd yn ôl yn bell i hanes y Gymraeg, yn ôl rhyw fil a hanner o flynyddoedd pan oedd y 'Gymraeg' neu yn hytrach y Frythoneg yn iaith wahanol iawn. A dweud y gwir roedd yn debycach i'r iaith Ladin mewn rhai ffyrdd, gyda swyddogaeth geiriau'n cael eu cyfleu gan derfyniadau. Er enghraifft, os oedd gair yn fenywaidd byddai fel arfer yn gorffen ag *-ā*. Roedd yr un sefyllfa yn bod yn Lladin, un o chwaerieithoedd yr iaith Proto-Gelteg. Er enghraifft, benywaidd yw geiriau fel *Britannia, Andromeda, angina, antenna* a *fibula*. Cyn imi fynd ymlaen edrychwch am rai eiliadau ar y siart isod, ac edrychwch yn ofalus am y llythrennau *a*, *i* ac *e*. Mae'r darlun yn defnyddio'r Wyddor Seinegol Gydwladol (IPA – International Phonetic Alphabet), ond dylai fod yn ddigon hawdd gweld mai at *i*, *w*, *e*, *o* ac *a* maen nhw'n cyfeirio.

ʊ = ll<u>w</u>m   ɪ - ll<u>y</u>n   ɛ = p<u>e</u>n

Sylwch ar y llafariaid yn symud yn nes at yr ɑ.

Mae'r siart yn dangos ymhle yn y geg mae llafariaid yn cael eu cynanu. Safle'r tafod sydd bwysicaf yma. *Affeithiad*-a yw'r term am y broses rydyn ni'n ei thrafod yma, ac oni bai eich bod yn gwybod am yr *-a* ar ddiwedd geiriau benywaidd byddai'n anodd iawn deall beth sy'n digwydd. Gadewch imi egluro. Mae'r *-a* hon yn tynnu'r *i* yn y sillaf o'i blaen yn nes ati, i lawr ychydig. Mae prosesau fel hyn yn ddigon cyffredin yn ieithoedd y byd. Gadewch imi roi enghreifftiau. Ar ôl yr ymadroddion Cymraeg, gweler y ffurfiau Brythoneg, sef mamiaith y Gymraeg.[4]

---

[4] Rydw i'n defnyddio'r sustem draddodiadol yma. Mae'r ieithydd Joseph Eska wedi dangos mai gwahaniaeth mewn anadlu caled, yn hytrach na lleisio, sydd rhwng parau fel *p*/*b* a *t*/*d* yn y Gymraeg, ond wna i ddim cymhlethu materion yma. Rydw i hefyd wedi symleiddio rywfaint ar y broses. Er enghraio, mae'n debyg bod *-ā* wedi troi'n *-a* ac mai'r sain fyrrach hon a barodd yr affeithiad. Byddai llafariaid o flaen *m* hefyd yn drwynol, fel ag y maent yn y Llydaweg hyd heddiw.

tŷ melyn	*tigos melinos	caseg felen	*kassikā melinā
tad cryf	*tatos krimos	merch gref	*merkā krimā

Gyda'r ffurfiau benywaidd tynnodd yr -ā derfynol yr i ati:

caseg felen	*kassikā melinā	>	*kassekā melenā
merch gref	*merkā krimā	>	*merkā kremā

Digwyddodd rhywbeth diddorol wedyn, sef y cafodd y cytseiniaid oedd rhwng llafariaid eu 'treiglo', eu meddalu mewn rhyw ffordd. Digwyddodd hyn nid yn unig ynghanol geiriau ond hefyd ar draws y ffin mewn rhwng dau air:

caseg felen	*kassekā melen	>	*kasegā velenā
merch gref	*merkā kremā	>	*merkā grevā

Pan gollwyd y terfyniadau cawsom, erbyn tua diwedd y chweched ganrif, sef cyfnod Aneirin a Thaliesin ac ati:

caseg felen	*kasegā velenā	*kaseg velen
merch gref	*merkā grevā	*merk grev

Peidiwch â phoeni os nad yw hyn yn gwbl amlwg ar y darlleniad cyntaf. Bu raid i mi ddarllen cryn dipyn a mynychu darlithoedd cyn dod i ddeall, ond mae trafodaethau gwych yn llyfr Henry Lewis, *Datblygiad yr Iaith Gymraeg*, ac *Ieithyddiaeth* gan T. Arwyn Watkins. Tebyg yw'r datblygiadau ag *w* yn troi'n *o*.

Gorest (gores) (FWI 126)

Holodd un o Dre-fach Felindre a oedd y gair uchod yn gyfarwydd i'r aelodau. Nododd y byddai yn aml yn dweud pethau fel *Mae e'n orest iawn* am le agored, diffaith. Hefyd, bydd yn dweud 'Paid â gadel y lle mor orest h.y. Paid â gadel y drws ar agor!' Byddai ei mam yn dweud 'rwyt ti'n edrych yn orest' pan fyddai hi heb gau ei chôt yn y gaeaf. Ychwanegodd 'wedi defnyddio'r gair gorest (yn orest) fel rhan naturiol o'm sgwrs wrth sôn am sebon oedd wedi ei adael ar agor heb y papur o'i gwmpas. Bydde mam yn dweud "pam wyt ti'n gwisgo mor orest, cer i nôl sgarff o gwmpas dy wddwg".'

Dim ond yn 1718 y digwydd ar glawr am y tro cyntaf, ac yn rhyfedd ddigon nid oedd yn gyfarwydd i neb arall yn y grŵp. Noda GPC ei fod yn digwydd mewn enwau lleoedd, e.e. Coedygoras, Llanedern ger Caerdydd,

Llwyngoras ym mhlwyf Mathri a hefyd ym Mhlwyf y Beifil (Sir Benfro) a Llyn Gorast yng Ngharon-uwch-clawdd, un o 'Lynnoedd Teifi'. Mae'n amlwg iddo fod yn air digon cyffredin o Benfro i Forgannwg, ac mai prin eithriadol yw'r wybodaeth amdano erbyn heddiw.

Gwagio, gwagu, gwacáu (BIC 42, WVBD 179)

Tipyn o syndod i mi oedd dysgu bod cymaint o amrywiaeth yn nherfyniad berfol y gair hwn, ond mae'r dosbarthiad yn weddol glir. *Gwagio* sydd yn y gogledd-orllewin, a *gwagu* yn gyffredin mewn mannau eraill yn y Gogledd. Mae'r ddwy ffurf yn hysbys yn Llangadfan, ym Maldwyn ac ym Machynlleth hefyd. Yn y De *gwacáu* sy'n arferol, gyda *gwagáu* o Gwm Gwendraeth i Bontarddulais. Cawsom y manylion pellach hyn o Fôn 'Gwagio sydd yn y llun [hwfer yn cael ei wagu i mewn i fin sbwriel]. Gwacáu i mi ydy rywbeth yn mynd yn wag heb fewnbwn amlwg gan rywun neu rywbeth allanol. Er enghraifft, "Dwi wedi gwagio'r bwcad, a mae y tanc oel yn gwacáu, well i mi ordro mwy".' Mae *gwacáu* yn mynd yn fwy anghyffredin ar lafar, yn cael ei ddisodli gan *gwagio*. Cefnogwyd y duedd gan un o Arfon.

Yr hyn sydd gennym yma yw tri therfyniad berfol gwahanol: *-io, -u* a *-hau* wedi'u hychwanegu i'r bôn *gwag*. Os edrychwn yng *Ngeiriadur Prifysgol Cymru* gwelwn mai *gwacáu* yw'r ffurf gynharaf sydd ar glawr, a hynny o gryn dipyn. Cawn *gwacáu* o'r bedwaredd ganrif ar ddeg, a dyna sydd yn Nhestament Newydd William Salesbury a gyhoeddwyd yn 1567: 'ys gwacawyt ffydd.' Dim ond yn 1845 y cawn yr enghraifft ysgrifenedig gyntaf o *gwagio*. Efallai bod hyn yn adlewyrchu twf cyson y terfyniad berfol *-io* ar draul terfyniadau eraill. Pam mae *c* yn *gwacáu* meddech chi? Wel, *y -hau* sy'n peri hyn. Pan ddaw *-g* a *h-* i gyffwrdd â'i gilydd yn y Gymraeg byddwn yn dileisio'r gyntaf ac yn cadw'r anadliad caled. Digwydd hyn hefyd mewn ymadroddion fel *ei mhapi* (ei mhab hi) a *ei checi* (ei cheg hi). Mae pethau fel ei *gwelti* (ei gweld hi) a *naboti* (ei nabod hi) yn gyffredin iawn. Cwestiwn arall yw pam mae'r acen bwys ar y sillaf olaf yn *gwacáu*? Wel, doedd hi ddim mewn gwirionedd. Hynny yw, roedd y terfyniad hwn yn ddeusill, h.y. yn cynnwys dwy sillaf, yn wreiddiol, sef *-ha-u*, felly ar y goben roedd yr acen bwys, sef y *ha*. Roedd tair sillaf i'r gair *gwac-a-u*. Yn ddiweddarach y trodd *-ha-u* yn *-hau*, ond oherwydd inni golli'r *h* mewn geiriau fel hyn, mae angen yr acen ddyrchafedig i ddangos bod yr acen ar y sillaf olaf. Byddwn i'n amau mai dylanwad y bôn *gwag* a drodd *gwacáu* yn *gwagáu* mewn rhannau o'r De.

Beth yw tarddiad *gwag* felly? Mewn Hen Gernyweg ceir *'guac'*. Roedd hwn yn swnio'n union fel ein gair ni, a dyma ddull yr Hen Gymry o ysgrifennu *gwag*. Mewn gwirionedd mae'n aml yn anodd iawn gwahaniaethu rhwng Hen Gymraeg, Hen Lydaweg a Hen Gernyweg cyn yr unfed ganrif ar ddeg. Yn y Llydaweg ceir *'gwag'*. Mae'r gair yn digwydd hefyd yn un o'r darnau hir cyntaf o Gymraeg ysgrifenedig sy'n dyddio o'r ddegfed ganrif. Ei enw yw *Y Tameidyn Computus*. Darn o waith ydyw sy'n disgrifio'r broses gymhleth o ddyddio gŵyl y Pasg, gŵyl bwysicaf Cristnogion. Wrth drafod symudiad dyddiad nodir *ad ir loc guac*, sef 'add yr llog wag' yn ein horgraff ni. A'r ystyr yw 'at y lle gwag'. Sylwch na byddai'r Hen Gymry yn ysgrifennu'r treigladau, sef *loc guac* am 'llog wag'. Nawr 'te, fel y gwelsoch nid oes gair cytras yn yr Wyddeleg, ac mae hyn yn weddol aml yn awgrymu mai o'r Lladin y daeth y gair. O ffurf Ladin lafar fel **uacus* (*o uacuus*) y daw, ac mae hwn i'w gael mewn llu o eiriau Saesneg, sy'n dod o'r Ffrangeg (un o ferchieithoedd y Lladin) neu ynteu'n uniongyrchol o'r Lladin ei hunan: *evacuate, vacant, vacate, vacation a vacuum* er enghraifft. A hawdd gweld y cysylltiad â gwag.

Gwely

Mae ambell i derm hwyliog am y gwely yn y Gogledd. Gellir hel plant i'r *cae sgwâr* neu i'r *ciando*. Does neb yn rhy siŵr o ble daw'r gair *ciando*, ond mae GPC yn amau ei fod yn tarddu o *cefndo*, ond mae hwn hefyd yn air tywyll. Mae mynd i *glwydo* yn gyfarwydd ledled y wlad. Y glwyd yw'r styllen lle bydd ieir yn cysgu dros nos, yn uchel ac o afael llwynogod. Yn ne Sir Ddinbych sonnir am *fynd i fyny'r allt bren* i'r gwely. Yn y De gellir sôn am fynd *i'r cae nos, mynd i'r wâl, mynd i'r pedwar post, mynd i noswylio, mynd i'r gronglwyd, mynd i'r dowlad*. Yng ngogledd Sir Benfro gellir mynd i'r *pedwar post* neu i *Cwm Plu*. *Mynd i'r gwely gyda'r ffowls* yw mynd i'r gwely yn gynnar. Bydd plant yn *mynd i gyci beis*. *Gwâl* yw gorweddle creaduriaid gwyllt, fel ysgyfarnogod. Daw *cronglwyd* o *crom* (ffurf fenywaidd *crwm*) a *clwyd* ac yn wreiddiol cyfeiriai at un o styllod y to. Daw *towlad* o *taflod* a hwn yn ei dro o'r gair Lladin llafar **tab'lātum* (< *tabulātum*) sef llofft uwchben stabl. Nododd rhai mai *capel gwyn* oedd y term yn y Gogledd am gysgu'n hwyr ar fore neu brynhawn dydd Sul, e.e. *capal gwyn y p'nawn 'ma!*. Yn Nryslwyn bydd ci yn *gwalo*, sef crafu blancedi â'i bawennau a'u gwthio â'i drwyn i wneud gwely cyfforddus.

Cawsom ein hatgoffa am englyn enwog Alafon i'r gwely:

Nid hawdd yw myned iddo - ar nos oer,
Er cael cryn swm arno,
Yn wir mae'n dasg drom, Ond o!
Hanes y dod ohono!

Os edrychwn yn y geiriaduron gwelwn mai lluosog y gair *gwely* yw *gwelyau*, ond erbyn heddiw does neb yn ei ynganu felly. Yn y Gogledd y ffurf sy'n tra-arglwyddiaethu yw *gwlâu*. Yr ynganiad ym Maldwyn, wrth gwrs, yw *gwlêi*. Un sillaf yn unig sydd iddynt. Rhywbeth a nodwyd gan nifer, yma ac acw, yw bod yr ynganiad yn tueddu at *glâu* gyda *gwl-* yn troi'n *gl-*. Dadwefusoli yw'r term am y broses hon, sef colli sain a wneir â'r gwefusau. Yn y De y ffurf fwyaf cyffredin yw *gwelie*, gyda dwy sillaf, ond mae sawl un yn cadw'r ynganiad hŷn, sef *gwelïe* sy'n dair sillaf. Cywasgu sydd wedi digwydd yn yr achosion hyn. *Gwelyau* wedi cywasgu'n *gwlâu* yn y Gogledd, ond yn y De cadwyd yr i gan roi *gwelïe* ac wedyn *gwelie*.

Ond o ble daw'r gair *gwely*? Daw o'r rhagddodiad *gwo-* a'r gair Celteg **lig* sy'n golygu 'gorwedd'. Fel arfer bydd *gwo-* yn troi'n *go-* yn y Gymraeg, fel ag yn y *go lew, go dda, gollwng* ac ati. Mae'n eiryn sy'n gwneud llawer o bethau, ond yr argraff a gaf i yw ei fod yn golygu rhywbeth fel 'braidd' fel arfer. Y *gwo-lig* felly yw'r lle y byddwch yn gorwedd. Rydw i'n trafod 'affeithiad' mewn mannau eraill yn y llyfr hwn, felly wna i mo'ch syrffedu â thrafodaeth fanwl yma. Ystyr affeithiad yw bod un llafariad mewn gair yn dod rywfaint yn debycach i lafariad mewn sillaf gyfagos. Yn yr achos hwn mae'r <o> yn symud i fyny dipyn yn y geg tuag at y sain i. Chwaraewch â'ch tafod i geisio teimlo hyn. Felly trodd **gwo-lig* (Celteg) yn **gwo-liɣ*, wedyn yn **gweliɣ* ac yna'n *gwely*. Collwyd y sain ysgafn /ɣ/ ar y diwedd. Beth ar wyneb y ddaear yw /ɣ/ meddai llawer ohonoch. Wel, i'r rheiny ohonoch sy'n medru Sbaeneg, dyna sut maen nhw'n ynganu 'g' ynghanol gair, fel yn hasta *luego*, neu hyd yn oed rhwng geiriau me *gusta*.

Y gair Llydaweg yw *gwele*, a *gwely* yn y Gernyweg. O'r gwreiddyn PIE **legʰ-* 'gorwedd, gosod' y daw, a rhoddodd hwn y gair Gwyddeleg am y machlud, sef *golighe*. O'r gwreiddyn hwn y daw hefyd y gair *lle*, a'r hen air *cynllwst* 'cenel ci'. Cofiwch mai ystyr *cyn-* yn y fath eiriau yw *ci*. Mae'r gair Saesneg '*lie*' hefyd yn perthyn, a '*law*' (yr hyn sy'n cael ei osod i lawr) a *low* (isel).

Gwely Angau

Mae sawl ffordd o gyfleu bod rhywun yn agosáu at ei ddiwedd, ac mae nifer ohonynt yn gyfieithiadau o'r Saesneg. Nodaf isod yr atebion a ddaeth i law.

Amser rhoi'r tŵls ar y bar,	Gors-las
Ar 'i ddyddia ola.	Gwalchmai
Ar drengi	Llŷn
Ar ei daith	Bangor (WVBD 521)
Ar fin croesi (yr Iorddonen)	Rhydlewis
Ar fin cwrdd â'i well.	Gors-las
Ar fin cyfarfod a'i Greawdwr.	Sarn Mellteyrn
Bron a tharo'i rhech ddwytha.	Môn
Bron yn amsar mynd a'i lechan i'r offis.	Blaenau Ffestiniog.
Cyrraedd pen talar	Blaendulais
Dydd y farn ar drothwy.	Gwalchmai
Golwg y bedd arni hi/arno fo	Môn
Gwanc y ddaear	Castell-nedd
Llithro dan y dorchen	Edeyrnion
Lliw'r bedd arni	Blaenau Ffestiniog
Mae o/hi yn tynnu rhaffau'r addewidion	Sarn a Bryn-mawr
Mae'r pry genwair wedi rhoi winc arno	Sarn a Bryn-mawr
Mae tinc y dywarchen arno	Llŷn/Eifionydd (BILLE 41)
Mae'r astell yn mynd i'r tŷ.	Tafodiaith Rhan Isaf Dyffryn Llwchwr
Mynd i gwrdd â'i Greawdwr	Meirionnydd
Mynd i'w hir gartref.	Cyffredinol
Ogla pridd fynwant ar hwn.	Gwalchmai
Peder astell fydd ishe arnoi cyn bo hir.	Tafodiaith Rhan Isaf Dyffryn Llwchwr
Shifft ola'n dod i ben.	Gors-las
Taro'i rech ola	Gogledd-orllewin
Tynnu i'r diwedd.	Port Talbot
Wedi troi ei wynab at y parad	Gogledd-orllewin
Wrth ddrws abergofiant	Môn
Y twrch wedi wincio.	De Sir Ddinbych
Yn barod i weld ei feistr.	Gwalchmai
Yn mynd i'r Llan cyn hir.	Meirionnydd
Yn rhodio angau	Y De
Yn rhydia'r afon	Y De

Yn y Rhondda nodwyd: cyrradd 'i ddiwadd, ar fin marw, yn marw ar y don (fel ma claf yn codi ei ben yn y gwely a'i ben yn mynd nôl ar y glustog fel ton y môr, i lan ac i lawr). Nodwyd ffurfiau Llydaweg hefyd: *en e Ankoù* (yn ei Angau), *war e dremenvan, war e dalaroù* (ar ei dalarau). Y dalar yw'r rhimyn o dir ar hyd ymyl cae a adewir heb ei aredig i adael lle i'r aradr droi. Hwn yw'r darn olaf i'w aredig. Ym Mlaendulais nodwyd 'ma fe/hi cael ei gwilad dydd a nos pŵr dab. Os oedd rhyw berson yn cael ei "gwilad" yn ein pentre ni yr oedd hynny yn arwydd bod y person wedi cyrraedd diwedd y daith'.

Hàch (peswch)
Beth yw eich gair chi am hen beswch garw? Yn y Gogledd y gair arferol yw *hàch*, gyda *hèch* yn Nyffryn Banwy a *hỳch* yn Llanuwchllyn. *Wech* a gafwyd yng Nghwm Gwaun. Nodwyd yn Eifionydd (ADP 189) mai anhwylder ar loi oedd, ond y farn gyffredinol yw y gall gyfeirio at bobol hefyd. Nodwyd *pas* hefyd yn y Gogledd. O hwn daw'r gair *peswch*. Ger Machynlleth dywedir *hachian*.

Hwpo'r whilber / Gwthio'r ferfa (BICwm 46)
Pwy fyddai'n meddwl bod gwahaniaeth mor drawiadol rhwng y De a'r Gogledd, gyda sawl amrywiad ynddynt oll. Dyma'n sicr un o'r ymadroddion hynny a fyddai'n peri annealltwriaeth lwyr rhwng y ddwy dafodiaith oni bai bod y cyd-destun yn gwneud y weithred yn gwbl amlwg.

Dechreuwn â'r De. Y ffurf arferol yw *hwpo'r whilber*, ond yn y Cymoedd, lle mae tafodieithoedd heb *h*, clywir *wpo'r wilber*. Yng Nghwm Tawe mae'r ynganiad *wilbyr* yn arferol. Yma ac acw ceir *pwsho* hefyd. Yn Llandyfrïog mae berf benodol sef *whilbera*, ond mae *whilbero* yn gyfarwydd iawn yn Sir Gâr a Cheredigion, ac rydw i'n methu gweld patrwm clir yma. Ym Maenclochog a Thregaron cafwyd *whilo whilber*.

A beth am y Gogs? Wel, *gwthio'r ferfa* sydd fwyaf cyffredin, gyda llawer ym Mhenrhyn Llŷn, Eifionydd a rhai hyd yn oed ym Mlaenau Ffestiniog a Môn yn dweud *powlio*. Gair arall am 'rowlio' yw hwn. Ym Mhenmachno gellir *hwylio* berfa, ac yn ne Sir Ddinbych a Dolgellau gellir ei *gyrru*. Fel ag yn y De mae *pwsho* yn digwydd yma ac acw. Ym Mhantpastynog nodwyd *pwsh(i)o/pwshed/gwthio/gyrru berfa*, ac yn Nyffryn Banw, Rhuthun a Blaenau Ffestiniog ceir *hwthio berfa*. Tybed a yw hwn am wthio mwy egnïol.

Yn y De *whilbero mwg* yw gwneud gwaith dibwrpas a gwastraffus. Bydd Gogs yn *rhofio mwg i sachau*.

Edrychwn ar y berfau yma. Noda GPC fod tarddiad *hwpo* yn ansicr, ond maen nhw'n tybio y gallai ddod o'r Saesneg *up*. Gan mai dim ond yn y bedwaredd ganrif ar ddeg y digwydd am y tro cyntaf mae'n debyg iawn mai o'r iaith honno y daw. O'r Saesneg *to bowl* y daw *powlio*. Meddyliwch am y gêm *'bowls'* a'r hyn a wna cricedwyr gyda'u peli cochion, llyfnion. O'r gair Saesneg *bowl* 'pêl o bren' y daw, ond does a wnelo fo ddim â *'bowl'* (dysgl). Cyd-ddigwyddiad yw'r tebygrwydd. O'r Ffrangeg *'bole'* y daw'r gair Saesneg, a rhoddodd hwn y gair Ffrangeg *'boulle'*. Mae'n siŵr eich bod oll wedi gweld minteioedd o henwyr Ffrengig yn chwarae'n hamddenol gyda'u *boulles* yn disgleirio yn yr haul. Datblygiad o'r Lladin yw'r Ffrangeg wrth gwrs, tafodiaith y dylanwadwyd arni'n drwm iawn gan iaith Germaneg y Ffranciaid a'i goresgynnodd tua'r chweched ganrif. Nid yn unig y rhoddodd y bobl hyn, a siaradai iaith ddigon tebyg i Hen Saesneg, eu henw i'r wlad fodern ond hefyd methasant feistroli'r iaith Rwmáns leol. Yn wir, gellir honni mai Rwmáns Almaenig braidd yw'r Ffrangeg, ond mae'n well peidio â chyhoeddi hyn yn rhy groch mewn bar ym Mharis. Hyd at ddiwedd y ddeunawfed ganrif fyddai hyn ddim wedi peri unrhyw anesmwythyd i'r Ffrancwyr. Yn wir roedd y bonedd yn ymfalchïo yn eu gwreiddiau Germanaidd. Ond gyda'r chwyldro Ffrengig torrwyd pennau'r bonedd hyn, a bu raid chwilio am genedl arall yn y gorffennol pell i gymryd eu lle. Doedd wiw iddynt ddewis y Rhufeiniaid gan fod y rheiny'n estron, ac roedd yr Eidalwyr eisoes yn eu hawlio. Dyma pryd y penderfynwyd ar y Galiaid fel cyndadau a sylfaenwyr y genedl, ac felly y ganwyd eu myth hunaniaethol. Daeth Wer-cingetorîchs (Vercingetorix, neu mewn Cymraeg modern *Gor-chynged-ri*) yn arwr cenedlaethol newydd, fel Macsen Wledig i ni, Hengist a Horsa i'r Saeson a'r Tadau Pererin i'r Americanwyr. Ta waeth, y gair Lladin gwreiddiol yw *'bulla'* sy'n cyfeirio at swigen, bwlyn neu rywbeth crwn.

Mae tarddiad *gwthio* yn anhysbys, ac ni ddigwydd gair cytras mewn iaith Geltaidd arall. O'r Saesneg *'to push'* y daw *pwsho* wrth gwrs. Daeth hwn o'r Ffrangeg *pousser*, sydd yn ddatblygiad o'r Hen Ffrangeg *'pulser'* sydd yn ddatblygiad o'r Lladin *pulsare*. O hwn hefyd daw'r gair Saesneg *'pulse'*. Beth am bwsho hwn yn ôl ymhellach, i'w wreiddyn Indo-Ewropeaidd. Bydden ni'n ail-greu hwnnw fel *pel- 'gwthio'. Fel y nodais droeon trodd *p* yn *f* yn yr ieithoedd Germanaidd gan roi *fel-*, gydag amrywio yn y llafariad am resymau gramadegol. Mae'r gwreiddyn i'w weld yn *'anvil'* (eingion) sef *on+filt* 'taro', h.y. yr hyn y byddwch yn taro arno. Mae hwn i'w weld hefyd mewn gair Saesneg arall. Beth yw defnydd a wneir trwy bannu neu guro gwlân? Yr enw yw... *felt.* Cofiwch am hyn pan fyddwch yn defnyddio eich ffelt pens. Mabwysiadodd y Ffrancod y gair hwn gan roi *filtre* yn yr iaith fodern, sef y *'filter'* sy'n puro dŵr neu bethau eraill.

O'r Lladin daw *'dispel'*, *'expel'*, *'compel'*, *'rappel'*, *'propel'* a *'repel'*, *'interpolate'.* Gobeithio bod gwreiddyn Lladin *'impulse'* a *'pulsate'* yn amlwg hefyd. Amrywiad arall ar y gwreiddyn hwn yw **pol-*, ac o hwn y cafwyd y Lladin *'polire'*, a hwn a roddodd *polish* yn y Saesneg. Mae i'w weld hefyd yn *'catapult'* o'r Lladin, a ddaw yn ei dro o'r Roeg *'katapeltes'.*

Dichon ei fod yn ddigon amlwg bod *whilber* yn dod o'r Saesneg *'wheelbarrow'.* Dim ond yn y bedwaredd ganrif ar bymtheg y digwydd hwn yn y Saesneg am y tro cyntaf, a theg fyddai amau mai benthyciad o'r cyfnod hwn yw i'r Gymraeg. Wn i ddim pam y collwyd yr *ow* ar y diwedd. Efallai iddo ddiflannu fel rhan o'r broses a barodd colli *-w* ar ddiwedd geiriau lluosill. Beth am y *'barrow'* a roddodd *berfa? Whilber* heb olwyn yw wrth gwrs, rhyw fath o elor ar gyfer cludo pethau trymion. Digwydd *barewe* yn y Saesneg tua 1300, ac mae'n debyg ei fod yn cyfeirio at ryw fath o fasgeden wreiddiol. Mae'n debyg i'r Gogs droi y sŵn '-wy' ar y diwedd yn *-fa*, oherwydd bod cymysgu rhwng *w*-gystain ac *f* yn ddigon cyffredin yn y Gymraeg, a doedd dim sain debyg iawn yn ein hiaith. Byddai'r Saeson yn ei ynganu'n debyg i *'barower'* yn yr iaith fodern.

Daw y *'barrow'* hwn o'r gwreiddyn PIE **bʰer-* 'cludo, cario', ac mae hwn i'w weld yn y Gymraeg mewn geiriau fel *cymryd* (< **kom-ber-* yn y Gelteg) ac *aber* (y lle y cludir dŵr i'r môr) a *cymer* (lle llifa dwy afon ynghyd).

Beth am *'wheel'?* Daw o'r gwreiddyn **kʷel-* 'troi'. Yn yr Indo-Ewropeg gellid ffurfio geiriau newydd trwy gymryd cytsain flaen gair a'i gosod o flaen y gair ei hun. Hynny yw, o **kwel-* gellid llunio **kw-kwel-*. Rydw i wedi nodi mewn mannau eraill bod rhyw dreiglad llaes (p > f, t > th, c > ch) wedi digwydd mewn hen, hen Saesneg (Germaneg). Yn y Gymraeg dim ond mewn mannau penodol y digwydd (conditioned change) ond yng nghangen Germaneg yr ieithoedd Indo-Ewropeg digwyddodd ym mhob man yn ddieithriad (unconditioned change). Felly cawson rywbeth fel *'chwchwel'.* Byddai'r ieithyddion yn ail-lunio'r ffurf Germaneg fel **hwewl-* a rhoddodd hwn **hweogol* mewn Hen Saesneg.

Jôcs Cymraeg

Mae jôcs sy'n chwarae ar amwysedd iaith yn rhan greiddiol o beri ffraethineb. Dyma rai enghreifftiau a nodwyd gan yr aelodau:

- Beth yw'r gacen gryfaf yn y byd?   Mike Teisen.
- Beth wyt ti'n galw Gwyddel hefo pen tost?   Kieran Pen.
- Pam bod Môn yn fam i Gymru?   Bae Colwyn.
- Be ti'n galw dyn tân o wlad Pwyl?   Ivan Watchaloski.
  Be ti'n galw ei ferch o?   Tania.
- Enw Mecanic o'r Eidal?   Ivano di Torri.
- Be ti'n galw dynes dena dlawd?   Sgini Marian.
- Be ti'n galw plismon o Lanberis?   Copa'r Wyddfa.
- Lle mae'r tri mochyn bach yn byw?   Abersoch, soch, soch.
- Be ti'n galw actores o Awstralia sy'n gyrru tacsi yn Gnafron?   Cym Basinjyr.
- Beth wyt ti'n galw Cymro hael?   Roy.
- Ble roedd Saddam Hussein yn cadw ei CDs?   Yn ei rac....
- Lle fysa Torville heb Dean.   !!
- Sut mae gwneud i rywun o'r cyn-Iwgoslafia chwerthin?   Cosa fo.
- Pam bod y deinasor yn gwneud cymaint o sŵn?   Am bod ei din o'n sôr.
- Pam aeth Jeifin Jenkins mewn i'r pantri?   I estyn garlic.
- (Un o'r 90au): Wyt ti'n bwyta cig eidion?   Nac 'dw, ond BSE
  Fyddi di'n bwyta *lamb*?   Ôn i.
- Wyt ti moyn clywed jôc am sodiwm?   Na.
- Be di hoff ddiwrnod artist?   Dydd Llun.
- Cnoc cnoc. Pwy sy'na? Tudur. Tudur pwy? Tudur drws a gei di weld.
- Cymro ar ci wylia yn Ffrainc yn cerdded ar hyd còridor y gwesty ar ôl cael bath un bore, dim byd ond tywel am ei ganol a sebon yn ei law. Sebon yn llithro o'i law, ag yntau yn llithro ar wastad ei gefn ar y sebon. Y tywel yn disgyn yn agored, yn dangos ei drysorau i'r byd, pan ddaeth morwyn ifanc hardd heibio a sgrechian. Gwaeddodd Wil yn ei banic "SEBON!" Medda hitha "c'est bon? Monsieur c'est magnifique"
- 'Hei!!' medda Mrs Williams wrth y dyn glo... 'Pryd ga i lo?' - 'Dibynnu pryd cawsoch chi darw tydi Mrs Williams'....

A chan ein bod yn sôn am jôcs o ble daw'r gair hwn? O'r Saesneg wrth gwrs. Ond o ble daw hwnnw? Y tro cyntaf yr ymddengys mewn print yn y

Saesneg yw yn y 1660s fel *joque* 'a jest, something done to excite laughter'. Gair llenyddol yw hwn a gymerwyd o'r gair Lladin Clasurol '*iocus*' (joke, jest, sport, pastime). O hwn y daw'r Ffrangeg '*jeu*' a'r Sbaeneg '*juego*'. Daw hwn o PIE **iok-o-* 'gair, llefaru' ac amrywiad yw ar **yek-* 'siarad'. O osod terfyniad ar hwn cawsom **jek-to-* yn y Broto-Gelteg. Gwahanol ddulliau o gyfleu y sain *i* (iach, Iesu, iawn) yw hwn. Yn gynnar iawn trodd hwn yn **jext-*. Mae'r *x* yma yn golygu ein *ch* ni. Erbyn heddiw yr ynganiad yw *iaith*. Felly mae *jôc* ac *iaith* yn perthyn i'w gilydd. Yn Ne Powys mae afon *Ieithon*, am ei bod yn afon swnllyd neu barablus, fel afonydd Llafar neu Clywedog. Mae'n bur debyg bod afon Ythan yn Aberdeenshire yn yr Alban hefyd yn perthyn yn agos iawn. Enw yw hwn o iaith y Prydyn, y Pictiaid, a oedd yn debyg i Hen Gymraeg.

Listen! (BICwm 42)

Dechreuaf yma â tharddiad y gair 'gwrando'. 'Gair cyfansawdd' yw, wedi ei lunio o *gwar-* ac *andaw*. Amrywiad ar y rhagddodiad *gor-* (o *gwor-*) yw *gwar-*. Mae i'w weld mewn geiriau fel *gorffen, goresgyn, gormod, gorffen, gwarchod* (*gwar-+cadw*). Mae GPC yn nodi mai'r ystyr yw '*over, super-, hyper-, very, exceedingly*'. Mae'n bosibl mai'r *a* yn *andaw* a barodd newid *gwor-* yn *gwar-* (*gwor-andaw > gwar-andaw*). Gallwn gymharu hyn â *gwarchod* sy'n dod o *gwor-* + *cadw*. Edrychwn nawr ar *andaw* sydd ei hun yn golygu 'gwrando, rhoddi sylw'. Byddwn i'n amau mai rhywbeth fel 'tawelu, rhoddi sylw' oedd yr ystyr wreiddiol gyda'r ystyr gulach '*to listen*' yn ddatblygiad a ddigwyddodd yn yr Oesoedd Canol. Daw hwn o'r gair *taw* (fel ag yn *tawel*, a *distaw*). Dylem feddwl am ryw ystyr fel *byddwch ddistaw*. Nid oes gair tebyg yn yr ieithoedd Brythonig eraill felly mae'n ddigon posibl mai ni Gymry a luniodd y gair hwn.

Beth fyddai'r gorchmynnol? Bôn y ferf yw'r gorchmynnol (sengl) arferol e.e. *prynu > pryn!, yfed > yf!, gwisgo > gwisg!*. Mae sustemau eraill hefyd, fel *bod > bydd!* ond rhywbeth i'w drafod rywle arall yw hyn. Yn y bedwaredd ganrif ar ddeg (gweler GPC) mae gennym y frawddeg '*gwarandaw py trwst*' (gwarandawa pa drwst [twrw]). Ganrif ynghynt lluniodd y bardd Dafydd Benfras (bl. 1230-1260) y cwpled cofiadwy hwn:

Andaw, ud gwaywrud, gwawr teyrnged

Y gofeird a'r beird yn kywryssed.

Gwrandawa, arglwydd coch dy waywffon,

Y crachfeirdd a'r beirdd yn ymryson.

Gwelwn felly fod hyn oll yn dangos mai *gwarandaw!* oedd ffurf 2 bers. un. y gorchmynnol hanesyddol.

Sut y datblygodd hwn felly? Y cam cyntaf oedd cywasgu *gwarandaw* yn *gwrandaw* (colli sillaf ddiacen), a symleiddio'r -*aw* yn *o* (unseinio), yn y sillaf olaf ddiacen, felly *gwarandaw* > *gwrando.* Mae hwn yn ddatblygiad rheolaidd. Daw *Caswallawn* yn *Caswallon, peidiaw* yn *peidio.* Y tro cyntaf y gwelwn y ffurf '*gwrando*' wedi'i ysgrifennu yw yn *Kynniver Llith* a *Ban*, llyfr enwog William Salesbury a gyhoeddwyd yn 1551.

Gadewch inni yn awr edrych ar beth sy'n digwydd iddo yn ystod y canrifoedd dilynol, yr hyn sydd i'w glywed yn ein tafodieithoedd, ac wedyn, egluraf sut a pham y digwyddodd hyn oll. Rhaid inni gofio nad y terfyniad berfol -*o* sydd yma, fel ag yn *crino* neu *cywiro.* Ond gan fod y rhan gyntaf erbyn hyn yn ymddangos yn ddisynnwyr daeth y Cymry, yn y pen draw, i feddwl mai *gwrand* oedd y bôn. Y canlyniad oedd llunio gorchmynnol newydd, sef *gwranda* a dyma sydd yn gyffredin ledled y Gogledd. Ond nododd un fod *grindo* ar lafar, yn ogystal â *grinda*, yn Ystalyfera. Tybed ai parhad o *gwrando!* yw hwn. Nodwyd hefyd *grindw* = 3ydd unigol gorchmynnol gan yr hen do yn Llanelli (gwrandawed) *grindw fe ar hon*, hyd yn oed ar gyfer gorchymyn merch!

Mewn sawl man yn y Gogledd nodwyd bod *gwrando* wedi troi'n *granda*, ac mae'r ffurf hon hefyd yn gyffredin yn Sir Gâr a Cheredigon a hyd yn oed yn Nyffryn Aman. O gwmpas Sir Gâr cawn y ffurf *gronda.* Ai dadfathiad sydd yma, sef osgoi cael dwy *a* yn yr un gair? Os symudwn tua'r de daw *grynda* yn fwy cyffredin, gydag un o Gors-las yn nodi bod yr ynganiad yn debycach i *grnda.* Ychydig i'r dwyrain ac i'r de mae *grinda* yn gyffredin gyda *grynda* yn y Rhondda. Yng Nghwm-twrch nodwyd *grind* sydd yn dangos bod rhai o leiaf bellach yn deall mai hwn yw bôn y ferf. Felly, dros gyfnod o ryw saith gan mlynedd mae *gwarandaw!* wedi troi'n *grind!* Yr unig beth sydd ar ôl o'r gair *taw* yw'r *d.* Docs dim o gwbl yn anarferol yn hyn o beth. Dyma'n union sut mae ieithoedd byw yn newid, ac mae'n gwbl naturiol, ac mae pob un o'r prosesau uchod yn digwydd mewn ieithoedd eraill. Carwn gloi gyda sylwad hyfryd un o Bontyberem/Ceredigion: 'grinda, grynda, gronda... Dibynnu shwt fi'n twmlo'. Y gwir yw bod teimlo'n gwbl greiddiol i sut mae ieithoedd yn newid. Bydd pobol yn ymwybodol o amrywiadau, a bydd un nodwedd neu ffurf yn ennill y dydd, weithiau yn ystod un genhedlaeth, weithiau dros gyfnod o ganrifoedd.

I grynhoi, mae *gwarandaw* wedi troi'n *grind* dros y canrifoedd, a dim ond y *d* ar y diwedd sydd ar ôl o'r gair gwreiddiol *taw.*

Llanbidinodyn a Cwm-sgwt (ADP 23)

Os bydd angen enw smala i gelu lle go iawn neu ddychmygol, dyma a ddywed llawer: Llanbidinodyn yn y Gogledd a Chwm-sgwt yn y De. Ni wn o ble daeth y ddau enw hyn. Os ydych am bwysleisio gellir dweud 'Llanbidinodyn, lle mae'r cŵn yn cachu menyn (neu *nionyn*)'. Mae Cwm-sgwt ar lafar yn Saesneg Cymoedd De Cymru hefyd. Nodwyd hefyd 'Aber bwmp, a Gamfagaws. Roedd fy nhaid yn prynu a symud gwartheg ar droed ar hyd y wlad, a byddai ei was yn cael ei ofyn i lle roedd yn mynd neu lle ti di bod? Nid oedd y gwas am ddweud busnes ei feistr, felly byddai yn dweud ei fod wedi bod yn Aberbwmp, neu yn mynd i Gamfagaws' (Dyffryn Banwy). Llai cyfarwydd oedd Cwmsgadan (Ceredigion) ac Abercaudyfalog (ardal y Bala). Holodd un prifardd o Gofi tybed ai o *Llanbadarn Odwyn* y daeth Llanbidinodyn.

Llannerch

Yn *Blas ar Iaith Lafar Llŷn ac Eifionydd* nodwyd bod y gair *llannerch* (ll. *llanerchi*) yn golygu 'clytiau llwm yng nghanol cae llafur'. Yng Ngwalchmai nodwyd mai 'tir agored' yw'r ystyr ac mai'r ynganiad yw *llannarch*. Ychwanegwyd ei fod yn air byw yn Llŷn a De Sir Ddinbych, yn bennaf ymysg yr hen do. Mae'n air cyffredin iawn mewn enwau lleoedd, fel Llannerch-y-medd a Llanerchaeron.

Digwydd hefyd yn yr Hen Ogledd, yn nheyrnas Ystrad Clud, ond hefyd ychydig i'r gogledd mewn ardal a briodolir i'r Prydyn. Un enghraifft yw'r dref Lanark. Un arall yw Lanercost, yn Cumbria. Mae hwn yn enw diddorol dros ben oherwydd bod yno briordy Awgwstinaidd a sefydlwyd tua 1166. Y ffurf Gymraeg ar yr enw Lladin August yw Awst, a thybir mai hwn sydd i'w weld yn yr enw, sef 'Llannerch Awst'. Os felly, byddai hyn yn awgrymu bod Cymraeg neu Frythoneg yr Hen Ogledd yn ddigon cadarn ei safle yn y cyfnod hwn i fathu enwau am sefydliad eglwysig o bwys.

Llau

Mae'r gair *llau* yn hysbys ledled y wlad. Mae tueddiad cryf i ddweud *llau pen*. Y gwir yw nad oes angen y 'pen' yma, gan mai dyma lle maent yn byw fel arfer. Er mwyn gwahaniaethu rhwng llau mewn lleoedd blewog eraill y byddai ei angen. Rydw i'n amau mai dylanwad y Saesneg sydd yma, o'r gair 'headlice'. Yn GDD 232 nodwyd y gair *powsen*, ond ni nododd neb fod hwn yn dal ar lafar.

Yng Ngheredigion ac ardaloedd eraill yn y De nodwyd yr ynganiad disgwyliedig sef *lloi*. Y ffurf unigol yw *lleuen*, ac mae tueddiad i'w ynganu fel *lluen*, neu *lluan* yn y gogledd-orllewin, a *lloien* yn y de. Gwyriad yw'r term am y math hwn o newid, lle bo ae mewn gair unsill yn cyfateb i eu yng ngoben gair lluosill. Gallwch weld hyn mewn parau fel *hau* / *heuodd* neu *dau* / *deuawd*. Mae rheswm am hyn. Os awn yn ôl i'r llawysgrifau o'r Oesoedd Canol fe welwn mai *lleu*, *heu* a *deu* a ddywedid. Yr hyn sydd wedi digwydd yw bod *eu* wedi troi yn *au*, ond mewn sillafau acennog (unsill) yn unig. Yn y De mae'n ymddangos i'r *eu* droi'n *ou*, ac wedyn yn *oi* (wrth i'r De golli'r sain *u*-bedol yn ystod y ddwy neu dair canrif ddiwethaf).

O ran diddordeb nododd ysgolhaig Celtaidd o Aberystwyth mai Llau y dylem ei ddweud heddiw am Lleu, un o brif gymeriadau Pedwaredd Gainc y Mabinogi. Ffurf ganoloesol yw Lleu. Yr arfer gyffredin yw diweddaru ynganiadau cymeriadau'r chwedlau hyn. Tybed a fyddai'n ormod sôn am *Llau Llaw Gyffes*?

Yn Nwyrain Morgannwg (GPC) dywedir am rywun diwyd a phrysur ei fod yn 'gwitho fel lluan mewn crachan'. Ym Môn dywedir *hen le lluog* am ryw hen dŷ budr a blêr. Yn y Gogledd clywir yr ymadrodd diarhebol bod 'glaw Mai yn lladd llau' (WVBD 344).

Y ffurfiau mewn Hen Gernyweg yw '*lewen*' a '*lowen*', a datblygodd hwn yn *lūan*, lluosog '*lou*', '*low*', erbyn Cernyweg diweddar. 'Casgliadol' yw geiriau o'r fath mewn gwirionedd, lle bydd raid llunio ffurf unigol trwy ychwanegu'r terfyniad -*en*. Yn y Llydaweg cawn '*laou(enn)*' a daw hwn o'r ffurf Frythoneg **lowā* o'r gwreiddyn IE **lus* a welir hefyd yn y Saesneg '*louse*'. Yn rhyfedd ddigon, o'r holl ieithoedd IE, dim ond yn y Frythoneg ac yn yr ieithoedd Germaneg ceir y gwreiddyn hwn.

Er na nododd neb *powsen*, ac er nad yw i'w weld yn GPC, mae'n werth ei drafod. Cynigiodd un, yn gywir yn fy marn i, ei fod yn tarddu o'r gair Saesneg '*puce*' (chwannen), sydd yn ei dro yn dod o'r Ffrangeg '*puce*', sef eu gair hwy am *lau*. O ran diddordeb, o hwn y daw ein gair *piws* ni. Dim ond yn 1896 y cafodd ei gofnodi am y tro cyntaf yn y Gymraeg, ond mae yn y Saesneg ers o leiaf 1777. Efallai mai cyfeirio at y grachen neu'r staen piws a ddaw ar ôl cael eich pigo gan y trychfil bach annifyr hwn a wna. Byddai'n golygu bod yr ystyr wedi newid o *chwannen* i *leuen* wrth iddo gael ei fenthyca i'r Gymraeg.

Lluch-dafl (ADP 148, SYG 61)

Yr ynganiad arferol i'r term gogleddol hwn yw *llich-dafl*, a chyfeirio y mae at rywbeth sy'n cael ei symud yn ddiseremoni o un lle i'r llall, rhywbeth gweddol ddi-werth felly. Rhywbeth sydd wedi'i luchio a'i daflu o'r neilltu. Nodwyd mai 'gadael rhywbeth yn lich-dafl yw ei adael yn flêr o gwmpas y lle'. Dyma ddisgrifiad un aelod: 'Pan ddes i i'r gogledd gynta, rwy'n cofio rhywun yn sôn am ryw fam yn mynd nôl i weithio ar ôl cael babi a hen wraig yn dweud "Ddylia pobol ddim ca'l plant os ydan nhw'n mynd i'w lluch-daflu nhw felna!".' Mae GPC yn nodi 'Riw lìch-dafl o beth', yn Nhregarth. Yn Llanfairfechan nodwyd hefyd 'mae o o lìch i dafl' *'he is thrown about from pillar to post* ... e.g. an adopted child'. Ym Mangor nodwyd bod y sain *t* wedi ymddangos ar ddiwedd *lluch* 'mae o o lìcht i dafl'. Y term am lythyren o'r fath yw *llythyren barasitig*, ac mae'n digwydd o bryd i'w gilydd gyda geiriau eraill. Er enghraifft *dallt* yn y Gogledd am *deall*, sy'n dod o *dy-+gallu*. Ceir y *t*-barasitig yma hefyd yn Gwersyllt (o Gwersyll). Yn Llanrug nodwyd *lech-i-dafl*.

Myn (RhGG 130) – *Myn uffar i!, Myn dian i!*

Mae'n siŵr eich bod oll yn gyfarwydd â llwon byr, i fynegi syndod, sy'n cychwyn gyda *Myn*. Mae cryn amrywiaeth ynddynt ledled Cymru. Mae'r geiryn hwn yn cyfateb i'r gair Saesneg, *by*, mewn llwon fel *By Jove!* Mae *Geiriadur Prifysgol Cymru* o'r farn mai hen ffurf ar y rhagenw *fy* yw. Mae'n debyg bod yr arfer yn dod o dyngu llwon go iawn, h.y. byddai pobl yn tyngu i Dduw, neu i'r saint, fod rhywbeth yn wir, a hynny efallai yn aml at ddibenion cyfreithiol. Dichon y byddent yn tyngu i *Myn Duw* 'fy Nuw'. Un cynnig yw mai ffurf ar *mwyn* (er mwyn) sydd yma, a byddai hyn yn egluro pam na welir yma'r treiglad trwynol a ddilyna *fy*.

Datblygodd sawl ffurf lai parchus dros y canrifoedd fel *Myn diawl i* a *Myn yffarn i*. Mewn cymdeithas grefyddol byddid yn gwgu ar y defnydd anweddus o eiriau Cristnogol, a rhag cablu neu bechu byddid yn aml yn newid yr ynganiad rywfaint er mwyn osgoi'r tabŵ. Er enghraifft try *myn diawl i* yn *myn dian i* neu *myn diawch i*. Try *Myn uffern i* yn *Men uffach i* ac ati. Mae rhegi yn gymorth i leddfu poen, ond nid pawb sy'n hoffi rhegi, a dyma pam y cawn eiriau fel *mince* yn lle *merde* (cachu) yn Ffrangeg a *sugar* yn lle *shit* yn Saesneg.

Mae'r llyfr *Rhint y Gelaets a'r Grug* sy'n trafod tafodiaith gogledd Sir Benfro yn nodi'r amrywiad *Men* ac yn rhoi'r enghreifftiau hyn: *Men asen i, Men Dewi Wyn, Men uffach i* a *Men wyryf lân*. Yn y Gogledd clywir Myn diawl a *Myn coblyn* a *Myn uffar, Myn Duw, Myn brain, Myn coblyn, Myn cythral*. Yn Ninbych ceir *Myn ufflon* ac ym Môn cawsom *Myn jwcsan* a *Myn f'enaid i*. Byddai pobol capel yno yn dweud *Myn diawcsan*. Mae *The Welsh Vocabulary of the Bangor District* (386-7), a gyhoeddwyd yn 1913, yn nodi *Myn deryn, Myn jaist i, Myn cancar* a *Myn gafr...* myn gafr, myn cancar'. Mae *Myn gafr i* yn chware ar y gair *myn*, sef cyw gafr '*a goat kid*', er mai *y* glir sydd yn hwn. Nododd un o Fôn y byddai gweinidog ar gapel yn y pentref nesaf iddo yn dweud *myn sarff* (serpent) pan fyddai mewn argyfwng.

Beth am edrych ar darddiad rhai o'r geiriau hyn, *uffern* a *diawl* a *Duw*. O'r Lladin y daw y ddau gyntaf, ac nid oes fawr o syndod gan mai oddi wrth siaradwyr Lladin y mabwysiadodd y Brythoniaid y grefydd Gristnogol. Daw *uffern* o '*ïnferna*' sydd wedi ei lunio o'r gair '*infra*' sy'n golygu 'isod', a'r syniad amlwg yw mai dyma oedd y byd oddi tanom. Wna i ddim egluro'r holl fanylion yma, ond yr un gair yw hwn ag '*under*' yn Saesneg, ill dau yn tarddu o hen eiryn Indo-Ewropeg.

Daw *diawl* o ffurf Ladin lafar *diablus, sy'n tarddu o'r ffurf glasurol '*diabolus*'. Roedd yr acen ar yr a gyntaf, sef '*di̲abolus* a dyna pam y collwyd yr *o*, oherwydd nad oedd pwyslais arni. Treiglodd y yn *f* gan roi *diafl mewn Hen Gymraeg, ac wedyn, trodd yr *f<* yn *w* gan roi *diawl*. Benthycodd y Gymraeg y gair safonol hefyd, dichon oherwydd bod eglwyswyr y cyfnod cynnar yn gyfarwydd â Lladin mwy ceidwadol mewn cyd-destun Beiblaidd. Rhoddodd hwn *diafol* inni. Yn y Llydaweg y ffurf yw *diaoul* (sy'n swnio'n debyg iawn i'r gair Cymraeg), ac wrth gwrs mae'n perthyn i'r gair Saesneg *devil*. Yn yr Iseldireg ceir *duivel*, a'r ynganiad tafodieithol mewn un ardal yw *duvel*, sef yr enw am gwrw cryf arbennig o flasus o Wlad Belg.

Mynd â'r ci am wâc

Dyma drafodaeth a barodd gryn ddychryn i'r Gogs, oherwydd acw yr ymadrodd arferol yw *mynd â'r ci am dro*. Teimlant fod yr ymadrodd deheuol hwn yn Seisnigaidd iawn, er i ambell un nodi *mynd am wôc*. Nododd sawl un, yma ac acw, hyd yn oed yn y Gogledd, fod *cerdded y ci* yn gyffredin, a pharodd hwn ddychryn i'r rhan fwyaf o'r Gogs a'r Hwntws, a'i gwelai fel cyfieithiad slafaidd o'r Saesneg. Yr ynganiad arferol yn y De yw *cered y ci*. Nodwyd y bydd pobl Caergybi yn dweud '*taking the dog for a dro ye*'. Ychwanegodd un ei fod yn cofio clywed rhai gwerinwyr Dyffryn Clwyd yn dweud *troi'r ci* slawer dydd.

Yma ac acw yng Nghymoedd De Cymru gellir *wâco'r ci*, neu *mynd ma's i wâco 'da'r ci*. Yn Nghastell-nedd gellir *wagio'r ci*. Yma cafodd *wacio* ei

Gymreigio – yn hanesyddol ni cheir y llythyren -*c*- rhwng llafariaid, a rhywbeth prin yw hyd heddiw, fel arfer yn deillio o eiriau Saesneg.

Nododd un ysgolhaig Celtaidd y byddai'r grŵp enwog Y Tebot Piws o'r 60au yn canu 'Cerdded y Ci' (cyfieithiad o 'Walking the Dog' gan Rufus Thomas). Dechreuodd rhywrai gwyno nad oedd yn Gymraeg da, ac felly, dyma nhw'n newid geiriau'r gân i 'Godro'r Fuwch', am nad oedd 'mynd â'r ci am dro' yn ffitio. Roedden nhw wedi cael eu bwcio i ganu yn yr Eisteddfod, ond 'doedd dim digon o ganeuon Cymraeg ganddynt, felly aethon nhw ati i drosi caneuon o'r Saesneg. Ychwanegodd un nofelydd o Abererch fod yno gi o'r enw Woodbine ac mai mynd â fo am drag y byddant.

Nedd - *nits*

Mae'r gair hwn yn gyffredin ledled Cymru. Mae siâp seinegol y gair yn syml, felly nid oes dim i'w ddweud o ran amrywiadau tafodieithol, ond gellir ei ddefnyddio i egluro rhai o'r newidiadau a ddigwyddodd i'r Gymraeg, ac i'r Saesneg, wrth i'r ieithoedd hynny ddatblygu.

Y ffurf mewn Cernyweg Diweddar yw *nêdh*; a cheir *nez* yn y Llydaweg. Fe sylwch fod ein *dd* wedi troi'n *z* yn y Llydaweg. Mae'n debyg mai dylanwad y Ffrangeg sy'n gyfrifol, iaith sydd heb ein sain ni. Fe'i ceir yn yr Wyddeleg hefyd, sef 'sneá'. Gyda hyn mae'n bosibl ail-greu'r ffurf Broto-Gelteg **snidā*. Trodd *sn*- ac *sm*- mewn Proto-Gelteg yn *n*- ac *m*- yn y Frythoneg. Dyna pam y dwedwn ninnau *nawf* (nofio) ac y dywedant hwythau *snámh*. Eu dull hwy o ysgrifennu *f* yw 'mh'. Er bod eithriadau, collon ni <s> o flaen llafariaid hefyd. Dyna pam y dywedwn ni *Hafren* tra dywed y Sais *Severn*. Mae'r ddau yn tarddu o **Sabrinā*, ffurf Frythoneg a gofnodwyd gan y Rhufeiniaid ddwy fil o flynyddoedd yn ôl. Mae'n amlwg i'r Saeson fabwysiadu enw'r afon bwysig hon cyn i'r sain ddechreuol droi'n *h*- yn y Gymraeg.

Erbyn hyn efallai bod rhai ohonoch eisoes wedi dechrau amau bod cysylltiad â'r gair Saesneg '*nit*', ac mae'n debyg eich bod yn iawn. Ond yr anhawster yw bod '*nit*' yn tarddu o Hen Saesneg 'hnitu', ond gwyddom mai o ffurf Broto-Germaneg **xnit*- y daw hwn (mae *x* yn golygu *ch*) a daw hwn yn ei dro o'r IE **knid*-sero **konid*- 'llwch' yw hwn. Mae felly i'w gysylltu â'r gair Groeg *kónis*, sef 'llwch'. Dylwn egluro gradd-sero. Yn PIE byddai llafariad bôn gair yn amrywio. Gellid cael dwy lafariad hir (*ē* neu *ō*), dwy lafariad fer (*e* neu *o*) neu dim llafariad o gwbl. Dyma ddull arall o'i gyfleu.

70

sero	byr	hir
∅	e	ē
	o	ō

Y gair technegol am yr amrywio hyn yw *ablaut*, a hyn sy'n gyfrifol am yr amrywiadau Saesneg, *sing, sang, sung* a *song*.

Ydw i wedi'ch dychryn gyda'r holl sumbolau a newidiadau? Fe'm dychrynwyd i i gychwyn hefyd, ond peidiwch â phoeni, nid yw mor gymhleth â hynny. Mewn IE y drefn arferol oedd bod geiriau'n unsillafog gyda llafariad yn y canol. Fel arfer *e* oedd y llafariad, ond byddai hwn yn ymddangos fel *ē* neu o neu *ō*. Y gwir yw nad oes neb yn hollol sicr pam, ond mae'r amrywio hyn yn rhan bwysig o lawer o ieithoedd IE. Dyma sy'n cyfri am yr amrywiadau Saesneg, *song, sing, sang* a *sung*. Bid a fo am hynny, roedd un dewis arall, sef dim llafariad o gwbl, a dyna yw'r radd-sero. Ond sut byddai hyn oll yn gymorth inni ddeall tarddiad *snedā*? Mae un cynnig (EDPC 349) yn ymwneud â'r hyn a alwn 's-symudol'. Mewn llawer o ieithoedd, a rhwng ieithoedd IE, gwelwn *s-* ar ddechrau gair lle nad yw i'w weld mewn geiriau eraill. Unwaith eto does neb yn hollol siŵr pam. Dyma, er enghraifft, sy'n egluro'r geiriau Saesneg '*melt*' a '*smelt*'. Un cynnig yw bod yr s-symudol hon wedi ymddangos o flaen **knid-* mewn Proto-Gelteg gan roi'r clwstwr dechreuol anystywallt **skn-*. Efallai i hwn gael ei symleiddio'n **sn-*.

Mae'r ieithydd mentrus Andrew Breeze wedi cynnig bod y gair *nedd* i'w weld yn yr enw lle *Monynut* yn East Lothian, yn yr Alban. Ei gynnig yw mai 'Mynyw-nedd' sydd yma, a 'mynyw' (fel yn Mynyw) yn air am lwyn. 'Llwyn-y-nedd' fyddai hwn felly. Ond efallai ei bod yn anodd deall pam yn union y byddai nedd mewn llwyn.

Does a wnelo'r gair hwn ddim o gwbl ag enw Afon Nedd. Cofnodwyd hwnnw gyntaf yn y drydedd ganrif gan y Rhufeiniaid, a'r ffurf oedd *Nido*. Mae'n rhaid mai **Nidā* oedd y ffurf Gelteg frodorol oherwydd rhaid wrth yr *a* hir hon i droi'r *i* o'i blaen yn *e*. Cyfeiria at y gaer Rufeinig a safai ar lan yr afon. Mae union ystyr y gair hwn yn ansicr, ond mae'n bur debyg mai'r un enw yw ag enwau Celtaidd eraill fel afon Nidd yn Swydd Efrog a hefyd Nied a Nidda yn yr Almaen.

Penchwiban (WVBD 422) - *scatterbrained*

Os edrychwn ar GPC fe welwn fod cryn dipyn o gyfystyron i'r gair uchod, sef 'gwacsaw, penysgafn, gwamal, anwadal, di-ddal, chwit-chwat; gwan ei feddwl, gwirion, disynnwyr; siaradus'. Nodir hefyd ei fod ar lafar yn Nwyrain Morgannwg yn y ffurf *penwipan*. Erbyn heddiw dim ond yn Arfon ac ym Môn y nodir ei fod yn arferol, er bod ambell un ym Meirionnydd yn ei ddefnyddio hefyd. Nododd rhai eu bod bellach yn fwy tueddol o ddweud *chwit-chwat*, sydd yn dod o'r Saesneg. Ni wn hyd sicrwydd beth yw tarddiad y cysylltiad â *chwiban*, ond efallai mai'r syniad yw fod y pen yn wag fel chwiban.

Penstandod - *Vertigo*

Yn ardal Porthmadog (a Harlech) nodwyd mai *penstandod* yw'r gair am '*vertigo*'. Cywasgiad yw o *pensyfrdandod*. Y *bendro* yw'r gair mwyaf cyffredin mewn ardaloedd eraill o'r gogledd.

Penteulu (WVBD 423)

Gobeithio nad oes angen gormod o egluro beth yw *penteulu*. Mae'n gyfarwydd ledled y wlad am yr hwn, neu'r hon, a ystyrir yn bennaeth y teulu. Er hyn gyda newidiadau cymdeithasol go brin bod un person bellach yn bennaeth ar deulu.

Mae'n air digon diddorol. Yn wreiddiol ei ystyr oedd pennaeth gosgordd y llys, capten y gwarchodlu (yn y cyfreithiau Cymreig). O hyn datblygodd yr ystyron 'capten, arweinydd, pennaeth; stiward, goruchwyliwr neu reolwr tŷ; pennaeth teulu, gŵr y tŷ' (GPC). Digon hawdd gweld sut y datblygodd yr ystyr, yn enwedig gan fod *teulu* bellach yn golygu '*family*'. Ond nid dyna oedd ei ystyr yn yr Oesoedd Canol, ac nid felly y câi ei sillafu. Y ffurf ganoloesol yw *penteylu* (*Llyfr Iorwerth* o'r 13g). Mae'r ffurf Hen Gernyweg gennym hefyd sef *teilu*, a'r mae'r ffurf Wyddeleg *teaghlach* yn cyfateb yn rheolaidd i'n ffurfiau Brythoneg. Mae'r holl newidiadau braidd yn ddyrys, felly callach peidio â chodi'r ysgyfarnog honno yma. Ond gwnaf nodi mai dylanwad yr -*u* olaf a barodd i'r -*i*- ymdebygu iddi, *teilu > teulu*. Ond, gyda'r rhain oll mae modd ail-lunio'r ffurf Broto-Gelteg, sef **tego-slougo-* 'tŷ + llu'. 'Llu y tŷ' yw'r gosgordd. Felly mae *teulu* yn wreiddiol yn cyfeirio at filwyr arfog.

Pioden (eto)

Rydw i eisoes wedi trafod *pioden* yn y gyfrol ddiwethaf, ond mae materion eraill wedi codi yn y cyfamser, sef yr amrywiad *piogen* a'r lluosog. Mae *The Linguistic Geography of Wales* yn nodi bod *piogen* yn digwydd yn aml yn y Gogledd-ddwyrain rhwng Afon Conwy ac Afon Dyfrdwy. Dim ond ym Maldwyn y nodwyd bod y ffurf hon ar dafod-leferydd heddiw. Gwnaeth hyn imi feddwl beth oedd lluosog y ffurf hon. Ai *piog* fyddai, neu a oedd gennym y pâr rhyfedd *piod* a *piogen*? Mae GPC yn nodi'r ffurf luosog *piog*, ond heb unrhyw fanylion pellach, fel am ble y digwydd. Mae *The Welsh Vocabulary of the Bangor District* (t. 38) yn nodi'r lluosog *piogod*, ond ni nododd neb hwn. Yn anffodus, mae'n ymddangos bod y ffurf hon fwy neu lai wedi'i disodli gan *pioden* erbyn hyn, ac felly, nid atebodd neb y cwestiwn am y lluosog. Yn y llyfr uchod am iaith ardal Bangor nodir mai *biogan* (deusill) oedd y ffurf arferol gyda *piodan* yn Nhre-garth gerllaw. Mae'r *i* yn y geiriau hyn fel y sain *y* yn y Saesneg *yes*. Nodwyd y lluosog *biogannod*, a *piogod* hefyd. Mae'r ffurf gyntaf yn ddiddorol oherwydd ei fod yn dangos bod y ffurf wreiddiol ag *e* yn y sillaf olaf wedi'i hanghofio. Yn y Gogledd-orllewin mae hyn yn anarferol. Dim ond yn y sillaf olaf ddiacen y try *e* yn *a*, felly *darllan* ond *darllenodd*. Byddem wedi disgwyl *biog_a_n* ond **biog_e_nnod*, ond nid felly yw. Dyma'r union fath o bethau a wna ieithoedd yn ddiddorol.

Cafwyd y lluosog *piots* ym Mhontarddulais. Nododd un y byddai ei nain a'i thaid, o Langoed ym Môn, yn dweud *piodod*. Nododd un y byddai ei fam-gu, o'r Rhondda Fawr, yn dweud *pia*, a dyma sy'n egluro Llwynypia yng Nghwm Rhondda Fawr (GLLG 34). Enw fferm oedd yn wreiddiol. A gellir cymharu hwn â Llwynypïod gerllaw Llangeitho.

Mae'n amlwg mai amrywiad ar *pioden* yw *piogen*, ond mae'n anodd gweld rheswm dros y newid. Yr unig beth y gallaf feddwl amdano yw mai dadfathiad o *piodod* yw *piogod*, a epiliodd wedyn ar *piogen*, ond mae prinder y ffurf *piodod* yn erbyn hyn. Cyn eich gadael dylwn ychwanegu bod dau wedi nodi mai *pioten* yw'r ffurf unigol yng Nghwm-twrch a Chlydach - gyda'r calediad sy'n nodweddiadol o dafodieithoedd traddodiadol y de-ddwyrain (gan gynnwys rhai Cwm Tawe). Felly dyna ragor o roi un gair dan y microsgop, a gweld sut y datblygodd *pi* a'r lluosog *piod* yng ngenau a meddyliau'r Cymry dros y canrifoedd.

Popty / ffwrn (LGW 60, BICwm 145)

Dyma un o'r eitemau yr holwyd amdano yn *The Linguistic Geography of Wales* yn 1975, ac mae map o'r dosbarthiad ar dudalen 60 y llyfr hwnnw. Dengys mai *popty* yw ffurf y Gogledd gyda *ffwrn* i'r de o linell rhwng Dolgellau a Machynlleth. *Ffwrn* felly sydd ym Maldwyn hefyd. Nid yw'r sefyllfa wedi newid. Nododd un 'Ffwrn - Dinas Mawddwy. Popty - Talsarnau Meirionnydd', a nodwyd bod y ddau air yn gyfarwydd yn Ninas Mawddwy ac yn Nolgellau. Ond mae *ffwrn* hefyd yn rhan o eirfa gyson y Wladfa.

Beth yw hanes y dosbarthiad hwn felly? Digwydd *popty* yng ngwaith y bardd Iolo Goch yn y bedwaredd ganrif ar ddeg, ac mae gennym glòs Hen Gernyweg ar ffurf *'pop[t]i'*. Mae'n bur debyg felly fod hwn yn air gweddol hen, Brythoneg efallai, er wrth gwrs mae'n ddigon posibl y gallai'r Gymraeg a'r Gernyweg fathu'r fath air yn annibynnol. Gwell imi hefyd egluro beth yw glòs. Yn yr Oesoedd Canol Cynnar, a chryn dipyn o'r Oesoedd Canol, prif iaith ysgrifenedig gorllewin Ewrop oedd Lladin, a mynachod neu eglwyswyr (gydag ambell leian neu eglwyswraig) oedd yn gyfrifol am ysgrifennu mewn llawysgrifau. Yn weddol aml deuai ysgrifennwr ar draws gair mewn dogfen na wyddai ei ystyr. Gellid holi un o'i gymheiriaid am yr ystyr, ac wedyn o dro i dro, byddid yn ysgrifennu'r gair uwchben y gair dieithr. Dyma yw glòs. Weithiau mae nodi glosau yn waith mwy bwriadus a helaeth. Mae'n siŵr bod llawer iawn ohonom wedi gwneud hyn wrth geisio dysgu iaith newydd. Yn aml mae'n darparu gwybodaeth bwysig am ystyron geiriau mewn ieithoedd fel Hen Gymraeg neu Hen Wyddeleg, oherwydd bod ystyr y gair sy'n derbyn y glòs yn hysbys.

Beth am *ffwrn*? Wel, mae hwn hefyd yn air hen, ond y tro hwn wedi'i fabwysiadu o'r Lladin *furnus*. Mae gennym *forn* mewn Hen Gernyweg a Hen Lydaweg, a digwydd fel *sorn* mewn Hen Wyddeleg. Dichon ichi sylwi mai'r gair Gwyddeleg yw'r un rhyfedd yma. Mae'r Gwyddyl yn treiglo *f* a *s*, ac maen nhw ill dau yn troi'n *h-*. Felly pe clywech rywbeth fel 'do horn' (dy...) gallai ddod o *forn* neu *sorn*. Enghraifft arall yw *salann > do shalann* (*sh* = *h*). Tybiwyd efallai bod rhywbeth fel '*do fhorn*' (gyda *fh-* hefyd yn golygu *h-*) yn cynnwys ffurf dreigledig o '*sorn*'. Hynny yw byddai 'dy ffwrn' a 'dy swrn' yn swnio yr un fath mewn Hen Wyddeleg. Ôl-ffurfiad (backformation) yw'r gair am y fath newid. Rhaid cofio hefyd nad oedd sain *f-* mewn hen Hen Wyddeleg, felly byddai unrhyw air a ddechreuai ag *f* yn anarferol iawn. Ac roedd '*sorn*' yn air llawer mwy cydnaws â seiniau'r iaith Wyddeleg.

Os oedd dau air, fel *popty* a *ffwrn*, yn cyd-fyw â'i gilydd am ganrifoedd lawer, mae'n deg amau bod iddynt ystyron gwahanol. Byddwn i'n tybio mai *ffwrn* oedd yr '*oven*' ei hunan, tra bo *popty* yn cyfeirio at adeilad penodol, lle byddid yn pobi bara. Cofiwch nad oedd na phopty na ffwrn yn y rhan fwyaf o dai. Efallai y byddai un popty mewn cymuned, ac y byddai pobl yn mynd yno'n rheolaidd i bobi eu bara. Roedd rhywbeth tebyg yn gyffredin yn Llydaw tan yn ddiweddar iawn. Daeth *popty* (yr adeilad) felly i olygu '*oven*', yn y Gogledd o leiaf.

Beth am darddiad y geiriau hyn? Gobeithio y maddeuwch imi am fynd i dipyn o fanylder yma, gan fod modd defnyddio'r ddeuair i drafod cryn dipyn ar hanes yr iaith Gymraeg. Dechreuaf gyda *ffwrn*. Fel y nodwyd eisoes, daw hwn o'r Lladin '*furnus*'. Ond pam mae *o* yn y ffurfiau Llydaweg a Chernyweg, ac yn y ffurf Wyddeleg hefyd? O ran ieithoedd Brythonig y De-orllewin (Cernyweg a Llydaweg), cofiwch mai iaith a symudodd o dde-orllewin yr ynys i ogledd-orllewin Gâl yw'r Llydaweg), mae newid *w* yn *o* yn arferol yn y safle hwn. Er enghraifft, eu ffurf hwy ar *dwrn* yw *dorn*. O ran yr Wyddeleg mae pethau yn gymhlethach. Yn ystod y cyfnod Rhufeinig (dyweder hyd at tua 400) roedd Lladin, yr iaith glasurol o leiaf, yn iaith oedd yn cyfleu swyddogaeth geiriau yn bennaf trwy derfyniadau. Roedd 'Cymraeg' neu Frythoneg y cyfnod yn gwneud hyn hefyd, ond collwyd hyn yn yr 'Oesoedd Tywyll' wrth i'r Frythoneg ddatblygu'n Gymraeg. Wrth i'r Gwyddelod fenthyca'r gair mae'n debyg iddynt ynganu'r terfyniad Lladin -*us* fel -*os* Celteg, hynny yw dywedent **furnos*. Dyma'r ffurf Gelteg reolaidd. Ond mewn Gwyddeleg hynafol trodd *o* yn y sillaf olaf yn *a*, gan roi **furnas*. Wedyn tynnodd yr *a* hon y sain *u* (fel ein 'w' ni) tuag ati, gan roi *o*. Felly trodd **furnas* yn **fornas*.

Mae gan ieithyddion ddull o ysgrifennu newidiadau fel hyn: u > o/_C(C)a. Fedrwch chi weithio allan sut mae'n gweithio? Mae C yn cyfeirio at unrhyw gytsain.

Pan gollodd yr Wyddeleg y rhan fwyaf o'r terfyniadau gramadegol (apocope), tua'r chweched ganrif, cawsom **forn*, ac eglurwyd uchod pam y trodd hwn yn '*sorn*'. Yr Wyddor Seinegol sydd yma felly ac mae *f* yn golygu ein *ff* ni. Digwyddodd newid tebyg iawn (affeithiad-*a*) yn y Gymraeg. Er enghraifft, meddyliwn am yr ansoddeiriau *trwm* a *trom*. Gwrywaidd yw'r cyntaf a'r ail yn fenwaidd. Mewn Proto-Gelteg y ffurfiau fuasai **trumbos* (gwrywaidd) a **trumba:* (benywaidd). I'r rhai ohonoch sydd wedi astudio Lladin efallai y byddwch yn cofio bod -*us* yn wrywaidd, ac -*a* yn fenywaidd, ac roedd y Gelteg a'r Lladin yn perthyn i'w gilydd. Fel ag yn yr Wyddeleg tynnodd yr *a* yn y sillaf olaf yr *w* yn y sillaf flaenorol, ati. Ceisiwch wneud y seiniau hyn, gan deimlo lle mae eich tafod. Dyna sy'n egluro'r parau *dwfn/dofn, llwm/llom, cwd/cod, hwn/hon* ac ati.

Ond beth am darddiad pellach *furnus*? Daliwch eich gwynt am eiliad! Daw hwn o'r gwreiddyn PIE *$g^{wh}er$-* 'cynhesu, twymo'. Peidiwch â phoeni gormod am y sumbolau cyntaf. Dim ond dull o gyfleu *gw-* gydag anadliad caled yw. Roedd yn nodwedd bwysig mewn Proto-Indo-Ewropeg. Mae'r datblygiad *g^{wh}-* *i f-* yn rheolaidd yn yr iaith Ladin, a'r gwir yw iddo ddigwydd yn raddol mewn sawl cam. Af i ddim ar ôl yr holl fanylion eraill yma, ond meddyliwch am funud. A oes rhywbeth tebyg yn y Gymraeg? Oes wir, y gair 'gwres', ac mae hwn yn perthyn hefyd. Efallai eich bod yn cofio imi sôn y gallai *e* ym môn gair amrywio â ffurf heb lafariad o gwbl, h.y. *$g^{wh}er$-* a *$g^{wh}r$-*, o'r ail wrth gwrs y daw *gwr(es)*.

Mae rhai o'r farn fod y gair Saesneg '*warm*' hefyd yn perthyn. Yn y Saesneg y sain *b-* yw'r sain sy'n dod yn rheolaidd o'r *g^{wh}-* hwn. A rhoddodd y gwreiddyn eiriau fel '*to brand*', sef nod a wneid wrth losgi. Credwch neu beidio, ond datblygodd y gwreiddyn hwn yn wahanol iawn yn yr iaith Roeg, daeth yn '*th-*', a dyma sut y cawn '*therme*' (gwres), ac mae hwn i'w weld yn eich '*thermos flask*' sy'n cadw eich diodydd yn boeth. Meddyliwch yn ogystal am *hypothermia*, a phethau fel *thermal springs*. Mae i'w weld hefyd yn yr enw lle Thermopylae, lle bu'r frwydr enwog rhwng y Groegiaid a'r Persiaid yn 480 CC. Gyda therfyniad dyry'r gair Lladin '*furnus*' y gair '*fornax*' (odyn, ffwrn), ac o hwn daeth y gair Ffrangeg Canol '*fornais*' ac o hwn y daeth Saesneg '*furnace*', ac wedyn y Gymraeg *ffwrnais*.

Beth am *popty*? Mae'n amlwg mai hwn yw'r tŷ, neu'r adeilad, lle byddid yn pobi bara. Cychwynnwn â'r gair *tŷ*. Mae hwn yn digwydd yn yr holl ieithoedd Celtaidd: *ti* mewn Hen Gernyweg a *chy* mewn Cernyweg Diweddar; *ti* yn y Llydaweg a *tech* mewn Hen Wyddeleg. Daw hwn o'r Broto-Gelteg *tego-*, sydd o'r gwreiddyn PIE *(s)teg-* 'gorchuddio'. Trafodwyd hyn yn *Amrywiaith 1*, dan y gair *beudy*, felly wna i ddim ailadrodd gormod yma, dim ond nodi ei fod yn perthyn i'r gair to, '*thatch*' yn Saesneg, a '*toga*' yn Lladin. Ychwanegaf un nodyn bach arall. Dichon eich bod oll yn gyfarwydd ag enw'r ddinas Baltimore yn yr Unol Daleithiau. Yn y pen draw daw hwn o enw lle Gwyddeleg sef '*Baile an Tí Mhóir*' (Tref y Tŷ Mawr).

Mae hanes *pobi* yn ddigon difyr. Yma bydd angen imi nodi ac egluro ambell newid a ddigwyddodd amser maith yn ôl. Dechreuaf â'r gwreiddyn PIE *pek^{w}-* 'coginio, aeddfedu'. Gwreiddyn yw hwn sydd wedi'i ail-greu ar sail llawer iawn o eiriau sy'n tarddu ohono. Ffurf ddamcaniaethol yw, ond ffurf wedi'i seilio ar bron i ddwy ganrif o ymchwil ddwys gan filoedd a miloedd o ieithyddion, ac mae'n ffrwyth dadlau ac anghytuno, er nad oes fawr neb erbyn hyn yn amau ei bod o leiaf yn weddol debygol ei fod yn ffurf hanesyddol 'go iawn'.

Efallai eich bod eisoes yn gwybod mai un o brif nodweddion yr ieithoedd Celtaidd yw iddynt golli'r sain p. Ond pan ddilynwyd y sain hon gan k^w trodd hefyd yn k^w. Cam wedyn oedd troi'r k^w yn p. Ni ddigwyddodd yr olaf yn yr Wyddeleg (nac mewn Hispano-Gelteg, sef yr iaith Geltaidd a siaredid yn y rhan fwyaf o 'Sbaen'). Dyma'r rheswm dros y termau 'P-Celtic' a 'Q-Celtic' yn y Saesneg, ond fyddai ysgolheigion ddim bellach yn cymeradwyo'r diffiniadau hyn. Nodaf yma ddwy enghraifft. Cofiwch y gall llafariad y bôn newid mewn PIE, yn ôl ei swyddogaeth ramadegol, felly nodaf yr amrywiad *pok^w- isod:

*pok^w- > *k^wok^w- > *pop- > $pob(i)$

*$penk^we$ > *k^wenk^we > *$penpe$ > *$pempe$ > *$pimpe$ > $pymp$ > $pump$

(O ran diddordeb digwyddodd rhywbeth tebyg mewn Sabeleg ac Osgeg, dwy o chwaerieithoedd yr iaith Ladin. Mae'r enw personol Lladin Pompey yn cyfateb i $pump$ ac yn dod o'r Sabeleg. Mae'n siŵr bod pawb yn gyfarwydd ag un dref yr oedd iddi bum ardal ac a gladdwyd yn ystod ffrwydrad y llosgfynydd Vesuvius... *Pompeii*, enw Osgeg. Mae arysgrifau graffiti yn dangos bod yr iaith hon yn fyw pan ddigwyddodd y drychineb yn y flwyddyn 79.)

Digwyddodd rhyw newid tebyg yn y Lladin gan roi'r ferf '*coquere*' (coginio, paratoi bwyd, aeddfedu). Y gair Lladin am yr un a fyddai'n gwneud hyn yw '*coquus*', a drodd ar lafar yn *cocus*. Mabwysiadodd yr ieithoedd Germaneg y gair hwn, a dyma sut y cawn '*coc*' mewn Hen Saesneg, a drodd yn '*cook*' erbyn heddiw. Dyma hefyd yw ystyr y Cyfenw Almaeneg *Koch*. Mewn Lladin llafar dywedid '*cocīna*' am y lle y gwneid y coginio, a datblygodd hwn yn '*cuisine*' mewn Ffrangeg.

Gall *poeth* olygu 'llosgi' hefyd. Meddyliwch am Efnysien yn taflu Gwern, ei nai bach, mab ei chwaer Branwen, i'r tân. Dywedwyd 'A fan welas uranwen y mab yn boeth yny tan' (a phan welodd Branwen ei mab yn boeth [llosgi] yn y tân). Dyna yw ei ystyr mewn enwau lleoedd fel Tre-boeth a Choed-poeth.

Mae rhagor o eiriau'n perthyn i'r teulu eang hwn. Dyma'r Saesneg *'precocious'* (o'r Lladin) sef rhywbeth sy'n aeddfedu'n gynnar. I'r Rhufeiniaid torth a gâi ei phobi ddwywaith oedd '*(panis) bis coctus*' ([bara] wedi'i bobi ddwywaith) ac o hwn daeth *'biscuit'* yn y Ffrangeg – ein *bisged* ni. Yr Eidaleg am bridd (tir) wedi'i bobi yw *'terra-cotta'*, a'r *'cotta'* hwn yn dod o *'cocta'* mewn Lladin llafar, sef yr hyn a bobwyd. Rhywbeth a goginiwyd eilwaith yn yr Eidaleg yw *'ricotta'* (o 're-').

Aeth y gair Lladin hefyd am dro yn yr ieithoedd Germaneg, a datblygodd yn *'kitchen'* yn y Saesneg. Ac mae un arall, onid oes? Rydw i am roi her fach ichi. Yn ystod y cyfnod Rhufeinig trodd *'coquina'* yn *'cocina'*, ac ydy, mae'n edrych yn union fel y gair Sbaeneg, er bod yr ynganiad wedi newid cryn dipyn. Gair arall a fenthyciwyd gan y Brythoniaid oedd *'molīna'* (melin). Trodd yr *o* yn *e* er mwyn agosáu at yr *i*. Teimlwch lle mae'r llythrennau hyn yn cael eu cynanu yn eich ceg. Rhywbeth arall a ddigwyddodd yng nghanol geiriau oedd treiglad meddal (e.e. *p > b, t > d, c > g* ac ati). Rhoddodd *'medicus'* ein gair *'meddyg'*. Felly beth a ddaeth o *'cocina'*? Cofiwn inni golli'r terfyniadau gramadegol hefyd. Trodd *'cocina'* yn *cegin*, a dyma chi yn gwybod yn union pam bellach.

Os oedd rhywbeth Celtaidd cynnar wedi'i goginio dywedid ei fod yn **kʷokʷt-*. Roedd y clwstwr o gytseiniaid ar y diwedd braidd yn gymhleth, felly cawsant eu symleiddio'n *-cht*. Yn yr Wyddor Seinegol Gydwladol bydden ni'n ysgrifennu'r gair fel **kʷoxt-*. Cofiwch fod *kʷ* yn troi'n *p*, felly cawn **poxt-* mewn Hen Frythoneg. Rydw i am roi cliw ichi nawr. Trodd *'doctus'* (doctor ac ati) y Lladin yn *doeth*. Ynganiad y Celtiaid fyddai *'docht'* (/doxt/). Felly trodd **poxt-* yn... *poeth*.

Nodwyd hefyd fod *popty ping*, a ddechreuodd fel dipyn o jôc, yn cael ei ddefnyddio, hyd yn oed yn nghadarnleoedd y gair *ffwrn*.

Pwy fyddai'n meddwl bod *gwres, ffwrn*, *'hypothermia'*, *'brand'* a *gwres* oll yn tarddu o'r un gwreiddyn? A hefyd fod *pobi* a *'kitchen'* a *cegin* a *cuisine* yn perthyn i'w gilydd.

Pot piso

Pethau prin yw'r rhain bellach, ond roeddynt yn gyffredin iawn gan yr hen do. Yn hogyn bach rydw i'n cofio'n iawn eu gweld o dan welyau fy neiniau a'm teidiau. Rhywbeth gweddol ddiweddar yw toiled yn y tŷ, felly roedd y rhain yn hanfodol i osgoi gorfod mentro i'r oerfel ym mherfeddion y nos. Yn ardal Llanrwst nodwyd *stên bibo*, a gellir dweud am rywun ag arno olwg bruddaidd bod gynno fo *wynab fatha stên bibo*. Mae termau fel *po* (o'r

78

Saesneg) yn gyffredin. Ceir hefyd dermau fel *pot pi-pi* (Dyffryn Nantlle), *popo* (Cwmtawe) *pot dan gwely* (Garndolbenmaen), *pot golch* (Y Bala, Abersoch), *pot siambar* (chamber pot), *poti, jippo* (Llŷn), *jeri*.

Yng Ngogledd-orllewin Llydaw dywedir '*skudell rêr*' (revr) sef *pot tin*. Ein gair cyfatebol ni yw *rhefr*, ac o hwn y daw *rhefru* a *hefru* am siarad lol. Hawdd dychmygu pam mae'r Saeson wedi bathu'r enw '*thunder pot*'.

Ar gyfer gwragedd y datblygwyd hwn yn wreiddiol, yn Ffrainc. Eu henw amdano oedd y '*bourdaloue*', a ganiatâi i wragedd 'fynd i'r tŷ bach' tra'n eistedd ar eu cwrcwd, heb ddamweiniau. Honnir iddo gael ei enwi ar ôl yr offeiriad Catholig Louis Bourdaloue. Roedd ei bregethau mor faith, byddai menywod yn dod â phot piso gyda nhw er mwyn gallu gwneud dŵr heb orfod gadael yr eglwys. Tybed ai o hwn y daw y gair Saesneg '*loo*'.

Daeth *pot* inni o'r Saesneg a hwnnw o'r Ffrangeg, a hwnnw yn ei dro o'r Lladin. Ond mae ei darddiad pellach yn anhysbys. Yr un yw tarddiad *piso* ac mae'n debyg mai onomatopeiaidd yw '*pissare*' y Lladin.

Run away (ADP 37)

Mae cryn dipyn o ffyrdd o gyfleu hyn yn y Gymraeg. Mae *rhedeg i ffwrdd* yn gyffredin yn y Gogledd. Addasiad o'r Saesneg '*run away*' yw hwn, a'r term am y fath gyfieithiadau arwynebol yw *calc*. *Rhedeg bant* sydd yn y De, a chafwyd *rideg off* yn y Cymoedd. Un arall o ffurfiau'r De yw *cilo* (cilio), ac mae sawl un arall. Yng Nghwm Gwendraeth gellir rhoi *tra'd iddi*, yn Eglwyswrw *baglu'ddi* neu *jiengyd*, *rhoi traed yn y tir* (de Ceredigion) ac yn Llandysul *ei sgathru hi o'na*. Ym Mlaenau Morgannwg clywir '*(ei) gwanu (h)i o ma*' [i gwaˑni o mä], sef ffurf ar *gwadnu*. Ym Mhencader... *sgidadlo!*. Yn y Betws (Shir Gâr) cawn *gowân 'i!* Ffurf ar *dianc* yw *jengyd*.

Yn y Gogledd gellir *ei heglu hi* neu *ei gwadnu hi, ei g'luo hi, ei baglu hi, cymryd y goes, 'i miglo hi*. Yng Nghorwen gellir *ei sgrialu hi o'ma*, neu gall rhywun *hel ei draed*. Nodwyd bod '*i legio hi* wedi hen ennill ei blwyf ym Mlaenau Ffestiniog. Yng Ngwalchmai gall rhywun *ei bwrw hi o'na fel melltan*, ond mae'r rhan fwyaf o'r hogiau ifainc yn dweud ei *thanio hi o'na*.

Rhech, cnec (WVBD 460, GDD 244, FWI 39, RhGG 166)

Yn ôl gwefan swyddogol yr NHS bydd pawb yn rhechu rhwng pump a phymtheg gwaith y dydd. I rai dyma destun piffian chwerthin bechgyn ysgol, ond i feddygon ac ieithegwyr mae'n bwnc i'w drafod yn agored. Yn wir, mae'n un o'r meysydd ieithyddol mwyaf cyfoethog, oherwydd ei fod yn rhan mor greiddiol o fywyd beunyddiol pob un ohonom, a rhaid hefyd ymateb i'r tabŵ hwn. Mae hefyd yn faes cynhyrchiol iawn yn ieithyddol gyda nifer helaeth o fân amrywiadau yma ac acw. Mae materion toiledaidd wastad yn peri amrywio ieithyddol a phobol yn ceisio dieithrio'r weithred.

Geiriau

Mae sawl gair am y peth ei hunan. *Cnec* sydd fwyaf cyffredin yn y De, a *rhech* yn y Gogledd. Ymddengys mai *rhech* yw ffurf arferol Ceredigion hefyd. Mae *pwmp* yn hysbys hefyd yn y Gogledd-orllewin yn bennaf am un fach ddiniwed. Yn Ne Cymru dywedir *fflêr* neu *ffleren* am rech dawel, sydd er ei distawrwydd yn rymus ei drewdod. Yng Ngwynedd mae *cnec* yn golygu *pesychiad sydyn* (a hacking cough), yn ôl *GPC*, ond nodwyd mai 'pesychiad bach parchus' yw yn Nolgellau. Mae'n rhaid bod hyn wedi peri doniolwch, neu ddryswch neu ddadlau rywbryd. Mae geiriau fel *trwmpyn* a *trwmpins* yn digwydd yma ac acw hefyd, *pwncins* ym Minera.

Ceir amrywiadau parchus fel *torri gwynt* (Amlwch), *paso gwynt* (Ceredigion) a *gollwng gwynt* (Glynceiriog) ond dichon bod y rhain a'u tebyg yn fwy cyffredin. Nododd un fenyw 'pan o'n i'n Ystalyfera ro'n i'n cnecu ond fi wedi priodi dyn o Gaerfyrddin a dyna ble fi'n byw nawr, so fi'n rhechen nawr'. Weithiau rhaid addasu i'r dafodiaith leol.

Yr unig ffurfiau lluosog a nodwyd oedd *rhechfeydd* yng ngogledd Penfro, a *rhechod* ym Môn.

Berf

O ran y ferf, mae ffurfiau ar *rhechu* yn gyfarwydd yng Nghymru benbaladr (Hendy-gwyn, y Gogledd oll), gyda *cnecu* neu *cnecan* yn arferol yn y De. Ond yr hyn sy'n ddiddorol yw bod y terfyniad berfol yn amrywio. Cyn dychryn, gadewch imi egluro beth yw terfyniad berfol. Hwn yw'r darn byr ar ddiwedd gair sy'n dangos mai berf (gair yn dynodi gweithred, fel *yfed, cerdded, chwerthin*) yw. Mae cryn dipyn o'r rhain yn y Gymraeg, fel -io yn *cofio* (*cof*+-*io*), -a yn bwyta (*bwyd*+-*ha*) ac -u yn blasu (*blas*+-*u*). Ac mae rhai berfau nad oes iddynt derfyniad o gwbl, fel *mynd, dod, ateb* a *chwerthin*. Bydd Gogs yn *rhechu*, ond mae *rhechan* yn gyfarwydd iawn hefyd, gyda *rhechen* yn y De, a hyd yn oed *rhechian* yn Nwyfor a Sir Ddinbych. Yn y De cafwyd *rhechen* yng Nghwm Gwaun. Yng Nghreunant nodwyd *fflwffan*. Yn anffodus nid oedd digon o atebion i lunio darlun clir o'r dosbarthiad.

Mae ambell air arall yn gyffredin hefyd, sef *cnecu* yn y De, *pwmpian* yn Arfon ac yn Nolgellau. Ceir *ffleiro* ym Mhontarddulais, am gnec tawel drewllyd e.e. *Pwy sy wedi ffleiro?*, *Ti 'di ffleiro?*. Mae *bomio* ar lafar yn y

Gogledd-orllewin, yn enwedig ymysg y to ifanc, ac mae'n debyg mai addasiad o derm Saesneg yw. Mae ffurfiau cwmpasog yn gyffredin hefyd. Yn y Gogledd gellir *gollwng* (*gillwn*) neu *daro rhech*. Gall rhywun hefyd *ollwng ei din*, neu *agor ei din*. Yng Nghricieth bydd pobol yn *gwllwn rhech* neu'n *rhechian*. Yn Llŷn bydd pobl fwy parchus yn *gollwng gwynt*. Yn Nghymoedd y De gellir *cnecu, rhechen, torri rhech*, neu *daro cnec*. Nodwyd bod *pwmp* yn llai grymus na *rhech* yn y De. Yn Nhalgarreg gellir *taro bwp*, ac mae *pwp* a *pwps* yn gyffredin wrth siarad â phlant bach, a *neud bwp* hefyd. Rhywbeth gweddol ddiniwed yn y De yw *bwpan*, fel *bwmian* yma ac acw yn y Gogledd. Mae'n ymddangos bod *pwmps* yn fwy cyffredin yn y Gogledd. Gellir *gollwn un* hefyd, gyda'r 'disodli tabŵ' lle dywedir 'un' yn hytrach na'r gair ei hunan. Yn Llithfaen nodwyd y canlynol: *Mae rhywun wedi agor ei flwch, Mae rhywun yn frau, Mae rhywun wedi bwyta'i hen nain.* Mae cyfieithiadau o'r Saesneg, fel bod rhywun *wedi agor ei handbag* yn gyffredin.

Nodwyd *ffartio* yng Nghaernarfon! Un peth diddorol yw mai *rhechu* a nodwyd yn y Wladfa ym Mhatagonia (Trevelin). Ymfudodd pobol o sawl rhan o Gymru ac felly datblygodd tafodiaith newydd yno.

Mathau

Mae sawl math o rech. Un bur annymunol yw *rhech wlyb*, sydd i'w chyferbynnu â *rhech wynt*. Clywodd un o Drefor y wraig drws nesa yn dweud *slech* am rech ysgafn. Un waeth braidd yw *pibrech*, sydd hanner ffordd rhwng *pibo* (diarrhoea) a *rhechu*, a gall gael effaith andwyol ar ddillad isaf. Un neis, neis yw *rhech capel*, un sydd yn dianc yn ddistaw bach heb i neb glywed, ac mae hon yn gyfarwydd i'r Gogs. Un waeth byth yw *rhech fach benfelen*, un sy'n gyfrifol am adael ei hôl yn ddigamsyniol ar drôns, un sy'n peri *skidmark* y Sais. Rhywbeth tebyg ym Môn yw *rhech jet*, a gwaeth byth yw *rhechgach*. *Ysbrydrech* yw un na chaiff ei chydnabod gan neb.

Nodwyd yn Llandybïe mai *cnec yw rech sy'n drewi*. Sylwch mai gwan iawn yw *rh-* yn yr ardal hon. *Pwpsen* yw un fach dawel, yn y De. Yn Sir Benfro un slei yw *pwff pen-ôl*.

Ymadroddion

Yn y gogledd-orllewin dywedir am rywun ffroenuchel bod *hen rech o'i chwmpas hi*. Yn Sir Ddinbych gall rhywun fod yn *rhechwr* neu hyd yn oed yn *rhechwr o fri*. Nododd un o Rhiw, ym Mhen Llŷn, byddai ei dad yn dweud, pan fyddai 'sawyr amhur' heb dwrw: *Wyt ti wedi ffleirian, dwad?* -

W't ti'n mynd yn frau, wasi?, neu *mae rhywun wedi ffleirian*. Dyma'r unig dro y nododd Gogs fod *ffleir-* yn gyfarwydd. Ym Mhenllyn nodwyd mai un ddiffrwt oedd *rhech ddafad*. Ym Môn gall *plisgyn rhech* gyfeirio at rywbeth tenau a bregus, fel cwpan delicet. Gellid dweud *Byddwch yn ofalus wrth i chi olchi y gwpan 'ma. Ma nhw fel plisgyn rhech*. *Styllan rech* yw'r ystyllen sydd ar du blaen trol, lle gall y ffarmwr eistedd i yrru y ceffylau (Môn). Yn oerfel y gaeaf yng Nghaernarfon gall fod yn *ddigon oer i rewi rhech*. Yng Nglynceiriog dywedir am rywun chwit-chwat ei fod *fel rhech wedi ffwndro*.

Yn y Gogledd-orllewin dywedir bod *rhechan yn achwyn bod cachu yn cychwyn*. Ystyr *achwyn* yn yr ardal yw rhoi gwybodaeth rhag blaen. Gall plentyn ysgol *achwyn* wrth athrawes er enghraifft, gan ddweud bod disgybl arall wedi gwneud rhyw ddrygau. Yn Llŷn dywedir *telegram o wlad y baw, dweud y mae, mai cachu ddaw* am rech fel argoel cachiad. Yn y Gogledd hefyd clywir *Rhech o rych tin, sy'n arwydd bod cachu ar gychwyn*. Yn Nyffryn Ceiriog dywedir *Swn y glec yn nhin y clôs: Arwydd bod baw yn agos*.

Rhechu fel rhwygo sachau a wneir ym Môn. Yn Nyffryn Ceiriog byddir yn *rhipio rhechod 'r hyd y rhyche*. Ym Môn gellir dweud *fel rhech mewn trïog*, am rywbeth sy'n hynod o ara' deg. Dywediad cyffredin iawn ar lafar yn y Gorllewin (Dre-fach Felindre) yw *aeth hi'n rech grôs rhwngo nhw*. Yr ystyr yw eu bod nhw wedi cwmpo mas!

Noda *Geiriadur Prifysgol Cymru* y canlynol. Ym Môn clywir *fel rhech ar grib, Tendiwch chi, neu mi fyddwch chi allan o'ch swydd fel rhech ar grib*. Yn Sir Gâr dywedir am rywun a adawodd yn sydyn, *Fe ath fel rhech o dwll din gŵydd*. Ym Mhwllheli dywedir am bêl-droed y mae gwynt yn dianc ohoni fod *rhechen ynddi*.

Os bydd un fawr yn dianc yn ddisymwth gellir dweud ym Môn fod *gwynt nerthol o Rosybol i Aberdîn*.

Mae *ci rhech* yn cyfeirio at ryw gi bach annifyr neu un di-fynd, y math danheddog sy'n sgyrnygu ac yn cyfarth yn wichlyd yn ddiangen. Yr hanes yw y byddai gwragedd hunanbwysig yn eu cadw, yn rhannol er mwyn cuddio arogl rhech sy'n dod o'r perchennog ei hunan. Rhoi'r bai ar y ci druan. Yn aml cedwir y fath gi ar arffed, a dyma pam mai'r term Saesneg sy'n cyfateb yw 'lap-dog'. *Ci cachu asgwrn* a ddywedir yng Ngogledd Môn.

Mae defnyddio'r gair *rhech* i gyfleu rhywbeth cwbl ddi-werth yn gyffredin iawn. Ym Mlaendulais dywedir *smo fe werth cnec*, ac ym Mhenclawdd gellir dweud bod rhywun *fel cnec mewn cwdyn*, ac yng Nglynllwchwr *ma fe fel cnec*. Gall rhai da i ddim fod *fel rhech mewn pot jam*, neu fel *rhech wlyb*.

Atebion

Gall fynd yn ddadlau taer mewn dosbarth ysgol pan fo rhywun yn clywed arogl annymunol a'r bechgyn yn dechrau dadlau pwy a agorodd ei din. Pan fo rhywun yn cwyno gall rhywun arall honni (weithiau'r rhechwr euog ei hunan) *Hwnnw gegodd, hwnnw rechodd.* Os bydd ateb negyddol gellir honni *Ail i ddweud, hwnnw wnaeth wneud*, neu *Ail i lefaru, hwnnw ddaru* (Deiniolen). Os bydd y dadlau taer yn parhau gall un arall fynnu *Trydydd a lefarodd, hwnnw darodd.* Yng Ngwalchmai yr hyn a nodwyd oedd *Cynta glyw, hwnnw yw.* Cofiwch fod *clywed* i bobol yr ardal hon yn golygu 'arogleuo' yn ogystal. Un arall yw *Cynta i wadu, hwnnw ddaru.* Cawn ffurf eithaf ceidwadol yn Ninas Mawddwy, sef *Sawl a glybu, hwnnw ddaru.*

Weithiau pan fydd plentyn bach yn swnian yn ddiddiwedd ac yn gofyn 'Pam? Pam?' yn ddi-baid gall y rhieni ateb:

> Pam?
> Am fod pam yn bod
> A rhech yn drewi.

Penillion

Mae nifer o benillion am hyn yn hysbys. Ym Mhenllyn clywir:

> Rhech wich o din sych
> yn arwydd fod cachu ar gychwyn,
> ar y geudod rho dy din,
> rho benelin ar bob glin,
> yna gwthia nes y daw hyn sy'n weddill o dy faw.

Yn Llŷn clywir:

> Mae gen i bigyn yn f'ochor,
> Ma'n well gin i roi pwmp a rhech
> Na thalu chwech i'r dogdor.

Ym Môn:

> Rhech den mewn blwch tun,
> Caead arni reit dyn *neu* Caead arni ddrewith hi ddim.

Yn Gorslas:

Rhech trw' dwnnel gul,
Taran yn y britshis,
Fflach yng ngodre'r crys
A chwalu'r cachu'n bishis!

Cafwyd un cwlwm tafod heriol yn cynnwys ein gair: *Rhechodd Rheinallt Roberts rech ragorol rhwng rhych radish Rhodri Rowlands.*

Capel Iwan:

Jac Trelech yn taro rech,
nes fod cwm Trelech yn swno!
Dou foi o Gwmcou
yn disgwyl i'r rech i fynd heibo.

Nododd un o Lansannan y cwpled cywydd hwn:
Hen wich fach yw rhech i fod,
Ebychiad heb ei bechod.

A diweddwen yn Llannefydd:
Rhech fain galed
Yn mynd allan drwy'r pared
I lawr am y felin
A thorri'r olwyn
"Beth wnaeth y drwg?"
Meddai'r forwyn, a'i chap ar ei chorun
"Och" meddai'r hwch
Ar ôl y rech.

Hanesion

Cafwyd ambell i hanesyn difyr yn ogystal, fel hwn o'r Gogledd-orllewin.

Dychmygwch yr olygfa: bachgen dengmlwydd oed yn yr Ysgol Sul. 'Gweddïwn' ddywedodd y gweinidog o'r pulpud. Dyma wyro, a theimlo byrdwn egar o wynt cywasgedig yn fy ngoluddion. Dilema: roedd o'n ddirdynnol o boenus, ond toedd fiw rhechan yn Capel. Er gwaetha'r boen, gwasgais a gwasgais yn erbyn y gwynt. Yn ddisymwth, fe fac-ffeiriodd y rhech yn ôl i'm coluddion gan wneud sŵn fel Scania'n newid gêr. Cymaint oedd y sŵn nes i'r athrawes Ysgol Sul godi o'i sêt, i droi rownd a sbïo arnaf. Tra roedd fy mêt yn gelain ar lawr, efo dagrau'n powlio lawr ei ruddiau. Parhaodd y gweinidog i weddïo fel petai dim wedi digwydd. Roedd hynna cyn i mi ddod yn gyfarwydd â'r term - a'r weithred - 'rhech capel'.

Gwasanaeth boreol yn Ysgol Syr Tom. Mwyafrif yr athrawon yn eistedd ar y llwyfan. Ychydig yn sefyll yn y cefn. Torrwyd ar y distawrwydd gan rech soniarus. Griff Jones athro hanes. A Griff Rech fu fo wedyn i bawb!

Cyfiawnhad

Mae'r profiad o fod angen rhechu, ond methu gwneud oherwydd yr amgylchiadau, yn un poenus o gyffredin, ac mae wedi esgor ar sawl ymadrodd dychmygus i gyfiawnhau'r weithred. Nododd un 'Byddai nhaid o Walchmai yn mynnu iddo weld 'englyn bedd' â'r geiriau Wenglish yma':

Rhechwch yn ffri,
Wherever you be,
Canys rhech a'm lladdodd i.

Esgus oedd hyn am rechan wrth gwrs. Yn Ystalyfera dywedir *Rhech, rhech aeth yn drech. Daeth i mâs o'r twll yn drewi!* Nododd un bod ei mam, un o Gymry Caer, yn dyfynnu'r dywediad *Gwell tŷ gwag na chadw tenant drwg.* Yn Ninas Mawddwy gellir cyfiawnhau rhech trwy nodi bod *mwy o le yn y byd mawr nag yn y bol bach. Melltith ar y dyn a geidw wynt yn ei fol tra bo twll yn ei dîn* a glywir yn Ninorwig. Yr amrywiad o Gaernarfon yw mai *Dyn ffôl sydd â gwynt yn ei fol, a thwll yn ei dîn.* Mae'r math hwn o gyfiawnhau yn gyffredin, a'r hyn a glywais pan oeddwn yn byw ym Mhlougerne (Plwyf Cernyw) yn Llydaw oedd

Gwelloc'h brammad e kreiz ar vro	Gwell rhechu yng nghraidd (canol) y fro
Eged kreñvi en eur c'hin -tro'.	Na marw mewn cornel.

Daw hwn â mi at y gair Llydaweg *brammad* 'rhechu'. Hwn yw'r gair arferol ac roedd ar lafar yn y Gymraeg hefyd tan rai canrifoedd yn ôl. Yn wir mae'r gair yn digwydd yn un o'r diarhebion a gadwyd yn Llyfr Coch Hergest o tua 1400, sef *Cau tin wedi bramu*. Heddiw byddem yn fwy tebygol o ddweud *Codi pais ar ôl piso*, ond yr un yw'r byrdwn. Digwydd hefyd yn y Gernyweg, er enghraifft yn y rheg ysgafn *bramm an gath* 'rhech y gath'.

Tarddiad

Gadewch inni fynd ar ôl tarddiad y rhain, wel nid y tarddiad llythrennol ond hanes y geiriau. Dechreuwn gyda *rhech* ei hunan. Mae ieithegwyr erbyn hyn yn deall datblygiad yr ieithoedd Celtaidd yn eithaf da, ar ôl dros ganrif o'u cymharu ag ieithoedd eraill ac o edrych ar yr ieithoedd eu hunain. Gallwn ail-lunio'r gair Proto-Gelteg fel *rikkā*. Mae'r llinell uwchben yr *a* yn golygu bod y llafariad yn hir. Mae'r *ā* ei hunan yn dangos bod y gair yn fenywaidd ac yn unigol. Mae'n ddigon posibl mai dyma un o'r geiriau a ddywedai cewri hanes fel Caratācos (Caradog) neu *Boudicā* (Buddig), ar ôl gwledd fawr. Trodd *kk* yn 'ch' yn y Frythoneg. Dim ond rhyw sain ag ataliad hir ar yr anadl yw *kk*, fel y llythrennau dwbl mewn Eidaleg. Mae'r *ā* ar y diwedd yn peri tynnu'r *i* yn y sillaf gyntaf tuag ati, gan ei throi yn *e*. Felly cafwyd y datblygiad *rikkā* > *rekkā* > *rexā* (mae /x/ fan hyn yn golygu ein sain 'ch' ni). Wedyn pan gollwyd y terfyniadau tua'r bumed ganrif cafwyd *rex*. Dan ddylanwad siaradwyr Lladin hwyr oedd yn prysur fabwysiadu'r Frythoneg yn y cyfnod ôl-Rufeinig aeth y llafariad i fod yn hir, gan roi *rēx*, a'r cam olaf oedd cryfhau neu ddileisio'r *r* yn *rh* yn yr Oesoedd Canol Cynnar, gan roi 'rhech'. Ond gallwn fynd ymhellach yn ôl â'r gair hwn. Un o nodweddion Proto-Gelteg yw iddi golli'r sain /p/ yn gyfan gwbl, felly gallwn lunio ffurf hŷn, a'r hyn a noda Geiriadur Prifysgol Cymru yw *ritkā* sy'n dod o'r Broto-Indo-Ewropeg *pr̥d-kā*. Bôn y gair hwn yw *perd-*. Yn yr ieithoedd Germanaidd cafwyd y newidiadau hyn (wedi'u hysgrifennu mewn ffurf fodern er mwyn hwyluso pethau):

p > f	b > p
t > th	d > t
c > ch	g > c

Beth fyddai *perd-* yn y Saesneg felly? Edrychwch ar y siart uchod, ac fe welwch mai '*fart*' yw'r gair cytras!

Daw *cnec* o'r Saesneg Canol *knack*. Mae'n amlwg iddo gael ei fabwysiadu i'r Gymraeg cyn i *kn-* droi yn *n-* yn yr iaith honno. Mae'n debyg mai dylanwad *clec* barodd newid y llafariad.

O'r Lladin y daw *ffleir* a *ffleirio*. Daw o *flagrō* 'arogli' a hwn yn ddadfathiad o *fragrō*. Hwn hefyd, drwy'r Ffrangeg, sydd wrth wraidd y gair Saesneg '*fragrant*'!

Rhegi

Mae'n ddigon gwir bod y rhan fwyaf ohonom yn meddwl nad oes llawer o regfeydd yn y Gymraeg, ond y gwir yw bod llawer yn bod er eu bod dan yr wyneb. Wna i ddim manylu gormod, ond yn hytrach gallaf eich cyfeirio at wefan arloesol *Y Rhegiadur* (http://www.rhegiadur.com). Y gwir yw hefyd fod duwioldeb y Capel wedi ein hamddifadu o gyfoeth yr Oesoedd Canol, ac felly, mae llawer o'n rhegfeydd modern yn addasiadau o'r Saesneg. Er enghraifft, daw *go drapia* o'r Saesneg 'God rap ye'. Roedd sawl sylwad diddorol am agweddau ein cyndadau genhedlaeth neu ddwy yn ôl:

Yn Eryri nodwyd 'Rhegi i mi pan yn blentyn oedd cymeryd enw sanctaidd neu y diafol yn ofer, cael ffrae gan fy rhieni – diniweidrwydd!!' Un arall yw 'Pan yn blentyn yn Blaenau Ffestiniog roedd diawl yn ofnadwy a'r gwaetha glywis i mam yn deud oedd damia ond roeddym yn bobol capal!'. Yn Aberystwyth nodwyd 'Roedd rhegi yn bechod ac yn cynnwys enwau sanctaidd, Duw, Iesu, Jiwjiw, a geiriau yn ymwneud â'r diafol, diawl, uffernol, uffarn dan, jiawl. Roedd y mwyafrif yn bobol capel neu eglwys.' Ac eto 'Diawl, uffar. Roedd fy Nain 1891-1921 o Ddyffryn Ogwen yn deud Darèshion, iesgwn Dafydd. Doedd fiw i ni ddeud RArglwydd Mowr, Iesu neu Iesu Grist o'r Ne' fel ebychiad gan y buasai hynny'n cael ei ddilyn gan "Paid â defnyddio enw yr Arglwydd dy Dduw yn ofer!" (o'r Beibl wrth gwrs!). Mi fuasa hynny'n ddigon i ni gael ein hel i'n gwlâu. Roeddan ni'n tueddu i ddeud *bobol bach, go drapia las, brenshiach y bratia*, dyffryn Nantlle. Dwin tueddu i ddeud Yffach Dân ers i mi fod ym Mhrifysgol Abertawe.' Un peth cyffredin yw addasu enw sanctaidd, e.e. addasiad o Iesu yw *iesgob*, ac mae'n debyg mai Crist ac Iesu sydd wrth wraidd *Crismas Ifans* ac *Esgyrn Dafydd* yng Nghastell Nedd.

O ble daw'r gair *rheg* felly? Mae'n debyg eich bod eisoes yn gyfarwydd â hanner y stori. Mae'r gair i'w weld yn *anrheg*, ond beth yw'r cysylltiad? Mae'n debyg mai rhywbeth fel hyn yw. Y syniad gwreiddiol yw y byddid yn ystyried tyngu llw yn rhyw fath o rodd i Dduw neu sant, rhyw fath o gytundeb neu rodd. Byddech yn tyngu y byddech yn gwneud rhywbeth i'r eglwys petai'r sant yn ateb eich gweddi. Rhyw fath o *anrheg* oedd y geiriau. Byddai pobol ddrwg yn camddefnyddio'r geiriau sanctaidd hyn, ac felly, datblygodd ystyr fwy negyddol. Daw o'r gwreiddyn Proto-Gelteg **rek-*, a daw hwn yn ei dro o'r ffurf PIE **prek-* 'gofyn, ymbil' ac mae'n perthyn i'r gair Lladin *prex* (y bôn yw *prec-*). Gallwch weld hwn yn y canlynol: Eidaleg *prego* 'gofynnaf, os gwelwch yn dda', a'r Sbaeneg *'pregunta'* (cwestiwn). Hwn sydd hefyd yn y Ffrangeg *'prier'* (gofyn, ymbilio) a rhoddodd hwn y Saesneg *'prayer'*. Datblygodd **prek-* yn *fragen* yn yr Almaeneg. Felly mae *rheg* a *'prayer'* yn dod o'r un gwreiddyn hynafol!

Siarad yn wirion (WVBD 231, ADP 117)

Mae pob math o eiriau a thermau am hyn ledled y wlad. Sbardunwyd y sgwrs gan y gair *pengrasu* a nodwyd (BILLE 31) yn Llŷn, ond ni nododd neb fod hwn ar lafar o hyd.

Mae *siarad yn dwp* neu *siarad dwli* yn gyffredin yn y De, a hefyd *siarad wast* neu *cleber wast*, a *browlan*. Yng Nghwm-twrch nodwyd *whilibawan*, *lapan* yn Llanddewi Brefi a *coethan* yng Nghwm-gors. Erbyn hyn mae *siarad bolycs* hefyd yn hysbys, a *siarad shit*.

Bydd Gogs yn *paldaruo* neu'n *paldareuo*. Byddant hefyd yn *siarad yn wirion*, yn *mwydro*. Os bydd pethau'n ddrwg byddant yn *malu awyr* neu os yw'n rwts llwyr byddant yn *malu cachu*. Rhywbeth tebyg yw *siarad trwy'i din*. Nodwyd *brywela* yn Arfon ac mae *rwdlan* neu *rwdlian* yn gyffredin yn eang hefyd. Cafwyd *coldro* yn y Bala, *brygowthan* yn Llŷn. Mae *cabalatsio* hefyd yn hysbys i lawer a *siarad lol* hefyd. Ym Môn gellir *holmio* a *hefru*. *Rhefru* a ddywed geifr Sir Gaernarfon. Nododd un awdur toreithiog fod *siarad tatws llaeth* ar lafar gynt ym Mlaenau Ffestiniog, a nododd hefyd fod pobol Nefyn yn dweud *paid â berwi*. *Siarad ar 'i gyfar* yw siarad heb wybod y pwnc. Bydd rhai hefyd yn *brygywtha*, *prygywtha*, neu'n *brygowthan* (a'r olaf yn hysbys yn y De hefyd). Cafwyd hefyd *blera* yn Sir Ddinbych. Mae *baldorddi* yn hysbys yma ac acw hefyd. Nododd un y cwpled cywydd canlynol:

Hwn yw'r brawd sy'n dringo i'r brig
Drwy balu yn drybeilig.

Cawsom ein hatgoffa mai'r gair Ffrangeg *am falu awyr* yw *baragouiner*. Meddyliwch am hwn am eiliad, ac yn wir mae'n swnio'n debyg iawn i *bara gwin*, ac yn wir i chi mae'n debyg mai dyma'i darddiad. Ond nid o'r Gymraeg y daw, ond o'r Llydaweg lle mae'r ddau air yn swnio'n debyg dros ben i'n ffurfiau ni. Yr hanes arferol yw bod rhyw Lydäwr bach gwledig, uniaith yn cyrraedd tŷ tafarn yn Ffrainc ac yn gofyn i'r tafarnwr am *bara ha gwin*. Mae'n ddigon posibl bod rhyw wirionedd yn y stori. Ffurf arall ar y stori hon a adroddwyd yn ystod y drafodaeth oedd bod 'yne stori am frenin Ffrainc yn trefnu gwledd i ddiolch i'r Llydawyr am eu cynorthwyo i ennill brwydr. Yn ystod y pryd bwyd roedd rheini yn galw byth a beunydd am - 'bara!' a 'gwin!', a'r Ffrancwyr ddim yn dallt, a'r brenin yn gofyn "Qu'est-ce que vous baragouinez!?", sef rwdlan, paldaruo, siarad yn fratiog... Stori dda ynde?!'

Slemp(an) Cath (ADP 149. WVBD 493))

'Trochiad o ddŵr ar eich gwyneb i how-ymolchi'n frysiog' oedd diffiniad un. *Slemp* neu *slempan* yn unig a ddywed llawer, neu *lyfiad cath*. Mae'r rhain yn gyffredin yn y Gogledd-orllewin. *Slewt* neu *slewtan* sydd ym Mynytho. Maent yn cyfeirio oll at ymolchi'r wyneb yn frysiog. Dros ganrif yn ôl nodwyd hyn yn ardal Bangor 'ryw slemp o lnau', 'slempan' (an imperfect cleaning; WVBD 493). *Wash giaman* (cath) a gafwyd yn ardal Caernarfon. Yng Nghwm Gwaun (Sir Benfro) nodwyd *lapad cath* a *sychad slic*. *Lliad cath* a gafwyd ym Mhencarreg.

Ychwanegwyd gan un o'n haelodau benywaidd o Fynytho 'Molchi o danat (oddi tanat) fysa jest golchi rhwng y coesa yn ymyl y basn de, tasa bath neu gawod yn ormod o draffarth!' a manylodd un arall 'Taro cadach drw' d'afl!'

Ni wyddom o ble daw'r gair *slemp* ond mae'n bur debyg mai benthyciad gweddol ddiweddar o ryw air Saesneg yw. Un rheswm dros feddwl hyn yw nad oes geiriau brodorol yn yr heniaith sy'n dechrau â *sl-*.

Somersault (ADP 85)

Yn Eifionydd y term am hyn yw *bwrw tin dros ben*. *Taflu tin dros ben* a geir yn Eryri gerllaw, a *codi tin dros ben* yn Ninbych.

Starlings (GDD 117, BILLE 43)

Mae cryn amrywiaith yn y ffurfiau llafar ar enw'r aderyn hwn, ac mae'n bosibl bod y ffurf safonol *drudwy* bellach wedi disodli'r amrywiadau tafodieithol. Mae'r lluosog *dridws* yn hysbys yn y rhan fwyaf o'r Henwlad, ond mae *dridwns* (*a tridwns*) yn gyfarwydd yn Sir Gâr a Sir Benfro.

Dridwan a'r lluosog *dridws* sy'n arferol ym Môn, ond nodwyd *dridw* a *dridan* (Llangristiolus) hefyd. Nodwyd bod *dridwnsyn* (GDD 117) ar lafar yn Sir Benfro, ond *tridwnsyn* yw'r ffurf a nodwyd yng Nghwm Gwaun. Amrywiad arall yw *dridwnsen* ym Metws Ifan. Cafwyd *drudw* yn Llandysul. Yn Llŷn nodwyd *drwdan* a *drwdwns* gyda *trwdins* yn Sarn Mellteyrn. Yn Llŷn nodwyd hefyd *adar drudwy*. Nododd ambell un y lluosog *drudwyon*, a *drudwyod*. Yn y Rhondda nodwyd '*Dridwan* yn un a *dritw* yn ddau neu dri neu bedwar neu bump neu uffach lot fawr o' nhw.' Mae Fynes-Clinton (WVBD) yn nodi'r ffurfiau *dridws, diridws* a *dyridwst* yn ardal Bangor dros ganrif yn ôl, a'r hyn sy'n ddiddorol yw eu bod oll yn unigol ac yn lluosog.

Dichon mai o'r Saesneg y daeth y terfyniad lluosog yn *-s*, fel *dridws*. Efallai bod llawer yn teimlo ei fod yn Seisnigaidd braidd, neu'n rhy ansafonol, ac mai gwell yw defnyddio'r hen luosog Cymraeg.

Mae *adar yr eira* yn digwydd yma ac acw mewn sawl rhan o'r wlad, ac *adar y ddrycin* hefyd (Llanuwchllyn, Gwaenysgor). Yn Gors-las nodwyd *drudŵod*. Yng Ngogledd Arfon gellir sôn am *haid o ddrudwennod*. Yn Llambed nodwyd *starling a starlingod*! Ychwanegodd un, sydd bellach yn Seland Newydd, bod '*flying rats*' ar lafar yno.

Ym Mhantpastynog (Sir Ddinbych) nodwyd 'anamal yn dweud drudwen am mai haid sydd eu gweld rhan amla. Tueddu i ddeud drudwy fel unigol a lluosog.' Mae hyn yn ddiddorol oherwydd digwyddodd yr un broses yn Llydaweg, yn nhafodiaith Leon o leiaf, gyda'r gair am *gwennol*. Y ffurf wreiddiol, mewn Hen Lydaweg, oedd '*guennol*' a'r ffurf luosog '*gwenneli*'. Cofiaf hen gyfaill imi o Blougerne yn egluro hyn imi, gan nodi mai anaml y'u gwelid ar eu pennau eu hunain, yn hedfan i lawr lonydd culion y pentref. Trodd hwn yn *gwennili* yn y dafodiaith leol. Daeth *gwennili* i fod yn ffurf unigol, a lluniwyd *gwennilied* fel lluosog (dwbl) newydd.

Holodd un cymeriad (gyda'i dafod yn ei foch) 'Pam yr enw drudwy? Oedd y wyau yn werth lot efallai?? Drud-wy'.

Efallai bod rhai ohonoch yn gyfarwydd â chwedl Branwen yn y Mabinogi, lle mae'n magu drudwen wrth 'dal y noe'. Dyna a nodwyd yn Llyfr Gwyn Rhydderch (tua 1397) *meithryn ederyn drydwen a wnaeth hitheu*. Fel parotiaid gellir dysgu i'r adar hyn ddynwared llais dyn, ac mae'n debyg mai hyn sydd wrth wraidd yr hanesyn hwn. Yn wreiddiol aeth y ddrudwen â neges lafar i Frân (Bendigeidfran), un a ddysgodd Branwen (Bronwen) iddi. Erbyn y fersiwn sydd gennym ar glawr mae Branwen yn gosod nodyn ysgrifenedig dan gesail yr aderyn.

Y ffurf Hen Gernyweg yw *'troet'*, ond erbyn y ddeunawfed ganrif yr ynganiad oedd *'trojen'*. Mewn Gwyddeleg diweddar cawn *'truid'* a *'druid'*. *Drydw* oedd y ffurf safonol yn yr Oesoedd Canol. Daw'r rhain oll o'r PIE **trozdo-*, a rhoddodd hefyd *'turdus'* yn Lladin a *'strazdas'* mewn Lithwaneg.

Sych (BICwm 67, WVBD 512)

Ym Mangor, ychydig dros gan mlynedd yn ôl, nodwyd bod y ffurf fenywaidd *sech* yn hysbys, a hefyd y lluosog, *sychion*. Erbyn heddiw mae pawb yn gytûn bod *sech* wedi hen ddiflannu, ond bod *sychion* yn ddigon cyffredin. Nododd Fynes-Clinton hefyd y gair *sychdduwiol* 'am rywun undonog a chrefyddol ddifflach'. Mae hwn yn gyfarwydd iawn i mi yn y Gogledd-orllewin, ond efallai bod dirywiad y capeli yn golygu ei fod bellach yn llai cyffredin. Nodwyd hefyd mai *canu sych* yw canu heb gyfeiliant.

Mae *arian sychion* (yn hytrach na siec) yn gyfarwydd i rai, a dyma a noda GPC 'Rodd gydag e bumpunt o arian sychion' (Canolbarth Cered.), 'arian sych' (dwyrain Morg.) a 'Fe adawws gampunt mwn arian sychon' (GTN 32). Yn Llanuwchllyn, os bydd y tywydd yn gwella dywedir ei bod yn *sychion*, ac am wynt mawr sonnir am *wynt sychu saith sach*. Sach dros yr ysgwyddau oedd cotiau glaw'r hen oes, a rhoddid 'hoelen drwy ddwy i'w gadw yn ei le.' O *sych+hin* y daw, a *hin* yn air arall am *tywydd*. Yn Llanddewi Brefi nodwyd y gellid cyfeirio at rywun diflas fel hen *sychyn*.

O ran cyfleu sychder bydd y Gogs yn dweud *cyn sychad* (neu *syched*) *â sglodyn*, neu *yn sych grimp*, *yn sych gorcyn*, neu'n *sych fel cesail camel* (*yn y Sahara*). Ceir hefyd *yn sych fel cesail iâr* neu *arth*. Yng Nglynceiriog *cyn syched â phric*. Yn ardal y Bala gall rhywbeth fod yn sych *fel nyth cath*, ac mae *sych fel y garthen* hefyd yn gyffredin. Yn Niwbwrch nodwyd yn *sych fel gafl dylluan*, gyda *gafl* yma yn golygu 'crotch', ond ni chafwyd eglurhad o'r ymadrodd dychmygus hwn. *Cyn syched â checsen 'cinder'* a gafwyd yn Rhosllannerchugog a Phonciau.

Yn y De cafwyd *yn sych gorcyn*, *yn sych fel corcyn* ac *yn sych fel y garthen*. Cafwyd y sylwad hwn o'r Rhondda 'fel corcyn, mor sychad a chont llian (sych a diflas) - Rhondda - dim ond unwaith y clywais yr ail ymadrodd a hwnnw gin ryw hen ddyn sarrug a blin odd yn difaru priodi ei wraig. Rhaid cofio taw nage pawb sy'n siarad yr un fath o fewn cymuned a nage pawb sydd a'r ddawn ymadrodd fel odd gin hwnnw - na'r un wraig ychwaith, felly pwy ydym i farnu.'

Beth am ddarddiad *sych*. Efallai y synnech glywed mai o'r Lladin *'siccus'* y daw, ac er mor lawog yw Prydain go brin nad oedd gan yr hen Geltiaid air am 'nid gwlyb'. Yn rhyfedd ddigon, er nad yw hyn yn ddieithriad o bell, fe'i benthyciwyd i'r Wyddeleg hefyd, ac mae gennym 'secc' mewn Gwyddeleg Canol. Un ystyriaeth, ond fyddwn i ddim yn mentro ei droi'n gynnig heb ragor o ymchwil, yw mai'r hen air hysb a lanwai'r bwlch hwn. Mae hwn i'w gael yn y Llydaweg hefyd, fel hesp, ac fel seasg 'sych, anffrwythlon' yn yr Wyddeleg. Y sillafiad mewn Gwyddeleg Canol yw sesc. Mae'r rhain oll yn tarddu o ffurf Galeg *siskwo-, o'r gwreiddyn *siku- 'llifo allan, sychu'. Fe'i ceir yn y gair Lithwaneg am bas, sef 'seklus'. Ond sut y gall *seikw- roi *siskwo-? Nid yw hyn yn rhy gymhleth mewn gwirionedd. Yr hyn sy'n digwydd gyda llawer o eiriau PIE yw bod modd ychwanegu cytsain gyntaf (gyda llafariad) y gair i'r bôn, a cholli'r llafariad sydd yn y bôn ei hunan. Felly try *siku—yn *si-skw-. O flaen llafariad try u yn w. Ffurfiau 'dauddyblyg' y bydd ieithyddion yn galw'r rhain.

Mae'n debyg bod rhai ohonoch yn gyfarwydd bod c yn yr Wyddeleg yn aml yn cyfateb i p (neu b) yn y Frythoneg, ac mai hyn sy'n gyfrifol am y termau 'Q-Celtic' a 'P-Celtic' yn y Saesneg. Mac yn cyfateb i mab, ceann yn cyfateb i pen ac ati. Y gwir yw bod y ddau yn tarddu o /kʷ/, a dyna pam y dywedwn 'Q-Celtic' yn hytrach na 'C-Celtic'. Peidiwch â phoeni gormod am y sumbolau hyn, dim ond ffordd o ddangos y sain sydd yn cweryla yw hon, fwy neu lai. Trodd /kʷ/ yn /p/ mewn rhai tafodieithoedd o'r Gelteg, o leiaf mor gynnar â 600 CC. Gwyddom hyn oherwydd bod gennym arysgrifau sy'n cynnwys /p/ yn y Leponteg, iaith Geltaidd gogledd yr Eidal. Arhosodd y sain yn ddigyfnewid yn yr iaith Geltibereg, iaith canol a gogledd y rhan fwyaf o'r Penrhyn Iberaidd. Rywbryd tua'r bedwaredd ganrif CC trodd /kʷ/ yn /k/ yn yr Wyddeleg, ac felly, dyna sut y cawsom sesc yn yr Wyddeleg. Gwyddom yn fras pryd y digwyddodd hyn yn yr Wyddeleg oherwydd bod gennym gannoedd lawer o arysgrifau ogham mewn Hen Wyddeleg ar feini sydd yn dangos y newid.

Er enghraifft mae'r arysgrifau ogham cynnar yn nodi MAQ /makʷ/ (mab) tra bo'r rhai diweddar (yn y chweched ganrif) yn nodi MAC. Wna i ddim mynd ar ôl y mân newidiadau eraill sydd yn y geiriau hyn. Un peth pwysig i'w nodi yw i s- droi'n h- yn gynnar yn y Frythoneg, a dyna pam mae afon Hafren yn cyfateb i Severn yn Saesneg.

Dichon eich bod yn gyfarwydd â rhywun yn mynd yn hesb wrth anghofio yr hyn sydd ganddo i'w ddweud, fel mewn cyfarfod. Efallai bod llawer o ffermwyr yn gwybod mai hesbin yw dafad flwydd sydd heb ddod ag oen. Pan fydd afon yn mynd yn sych yn rheolaidd gall ddwyn yr elfen hon, fel yn Afon Hesbin yn Sir Ddinbych a Hepste (gyda'r s a'r p wedi ymgyfnewid). Mae'n bosibl bod hwn i'w weld hefyd yn yr Hen Ogledd yn Hespin (ger Whithorn, Wigtownshire) a Garrahaspin (ger Stoneykirk, Wigtownshire). Y tebyg felly yw y byddent yn cyfeirio at enwau nentydd coll.

Awn yn ôl at *sych* i gloi, a nodaf eich bod eisoes yn gyfarwydd â'r gair Saesneg o'r Lladin, sy'n cynnwys sic, sef '*dessicate*'. Felly dyna inni lu o eiriau ac enwau sy'n perthyn i'w gilydd: *sych, hesbin,* Hepste a '*dessicate*'. Ond hanner munud, medd ambell un sy'n fwy hirben na'i gilydd, pam mae'r *s-* wedi aros yn *sych* ond wedi troi'n *h-* yn *hysb*? Wel, mae gennyf ddau beth i'w nodi. Yn gyntaf, ni wnaeth pob s- droi'n *h-*, a dyna pam mae gennym barau fel *sil* 'had' a 'hil' (race). Mae'n debyg i'r gair Lladin gael ei fenthyca ar ôl i'r newid hwn gychwyn, a bod y sain *s-* wedi'i chymathu i'r *s-* a barhaodd, neu'r *s-* a ddaeth o *st-*. Meddyliwch am *sêr* (< *ster-*) yn y Gymraeg, '*star*' yn Saesneg, a '*stellar*' o'r Lladin. Ond, pam roedd angen ei fenthyca yn y lle cyntaf, os oedd gair brodorol ar gael? Tybed a oedd *hysb* eisoes wedi dechrau cael ei gysylltu â syniadau fel 'anffrwythlon', ac felly fod lle i ddefnyddio *sych*, o'r Lladin *siccus*, yn fwy penodol ar gyfer diffyg dŵr?

Tasgau Amhosibl

Yn Nwyfor sonnir am *fugeilio brain*, sy'n cyfateb i '*herding cats*' yn y Saesneg. Ym Môn gellir ceisio *stwffio mwg i din cath efo fforch*. Nid argymhellir ceisio profi gwirionedd yr ymadrodd. Ym Mhenrhyndeudraeth gellir ceisio *gweu niwl*, ac mae *hel mwg i sach* yn gyffredin yn y Gogledd.

Troellen y corun (WVBD 550)

Os edrychwch chi ar gorun rhywun oddi fry fe welwch fod y blew yn troelli allan, yn hytrach nag yn disgyn yn syth i lawr. *Troellen y corun* yw'r gair am hwn. Ym Môn ac Arfon clywir *troellgorun, troell corun,* neu *troell* ar ei ben ei hunan. Yr ynganiad arferol yn y Gogledd-orllewin yw *troellan*, wrth gwrs. Ym Mhontyberem clywir *cetyn tro*. Yn Nefyn nodwyd *troell ar y corun*. Yn Llanddewi Brefi nodwyd y gellir cael *dwbwl droellen*. Mae yna frwynen sy'n tyfu yn union fel y llun pen a nodwyd sy'n dwyn yr enw *brwynen droellgorun*. Y '*vertex*' yw'r gair Saesneg.

O *tro+-ell* y daw, wrth gwrs. Terfyniad 'bachigol' benywaidd yw *-ell*, ac mae'n peri bod pob gair sy'n ei gynnwys yn fenywaidd. Nid y terfyniad hwn sydd mewn geiriau gwrywaidd fel *porchell* (o'r Lladin '*porcellus*' y daw). Geiriau benthyg eraill o'r Lladin yw *castell* a *padell*. Er bod *tro* i'w gael yn y Llydaweg a'r Gernyweg hefyd, mae ei darddiad yn ansicr. Un cynnig gan ysgolhaig Celtaidd o Slofenia yw ei fod yn tarddu o PIE *d^hrog^ho*- 'olwyn', gyda'r *d* gyntaf wedi troi'n *t*.

Trosfa, gofer - overflow

Nodwyd y gair *trosfa* am *'overflow'*, lle rhed nant allan o bwll, ond ni nododd neb fod y gair hwn ar lafar o hyd. Yr unig air sydd bellach yn fyw ac yn iach yw *gofer*, sy'n hysbys yn y Gogledd-orllewin. *Rhewin ddŵr* a nodwyd yn Sir Benfro. *Rhewyn* neu *rhewin* yw ffurf y geiriadur, a gall gyfeirio at unrhyw fath o gwter. Mae ei darddiad yn anhysbys, a dim ond yn y bymthegfed ganrif y digwydd am y tro cyntaf.

Twsial / Trwsial / Tisian (WVBD 534, CELlDA 337, BICwm 71)

Mae pethau'n ddigon syml yn y Gogledd, gyda phawb yn dweud *tisian*. Ond yn y De mae cryn amrywio, ac nid wyf yn siŵr beth yw'r union batrwm gan fod cryn amrywio mewn sawl ardal. Dechreuaf â'r hyn sy'n weddol glir, sef bod Cardis ar y cyfan yn dweud *twsial*. Mae'r ffurf hon yn ddigon hysbys hefyd yn Sir Benfro er bod llawer yno yn nodi *tisial* yn ogystal, fel ag yn Sir Gâr. Mae *trwsial* yn digwydd yn Sir Benfro ac yng Ngheredigion. *Twsian* neu *Trwsian* yw'r ffurf arferol yn Sir Gâr ac yng Nghymoedd y Gorllewin. Nododd sawl un fod *trwsian* a *trwsial* yn gyfarwydd yn Sir Gâr. Yn rhyfedd ddigon dywedir *tisian* yn weddol gyffredin yma ac acw yn y De. Nododd un o Gapel Iwan ei fod yn dweud *twsial* ond ei fod yn credu mai *twsian* oedd y gair yno gynt. Cafwyd hefyd ambell ffurf brin, fel *tisio* ym Mrynaman, *twsialu* ym Mwlch-llan a *snisian* yn yr Wyddgrug. Mae angen ymchwil bellach!

Yn Dre-fach Felindre byddant yn dweud *rwy'n teimlo trwsh yn dod!*. *Papur tisian* yw 'paper hankerchief' gan un yn y Gogledd.

Sut mae egluro'r holl amrywiadau hyn? Gwyddom fod y ffurfiau yn weddol ddiweddar. Dim ond yn 1547 y cawn *tisian* am y tro cyntaf, yn y geiriadur Cymraeg cyntaf erioed, sef *A Dictionary in Englyshe and Welshe* a olygwyd gan William Salesbury. Diweddarach o lawer yw *trwsial* a ddigwydd ar glawr am y tro cyntaf yn 1867. Nid yw'r ffurfiau eraill yn digwydd yn *Geiriadur Prifysgol Cymru*, ac mae'n nodi bod y ddwy ffurf uchod efallai yn dynwared y sŵn. Y gair am hyn yw *'onomatopoeia'*. Byddwn i'n amau bod rhyw berthas ag *'atishoo'* yn y Saesneg. Rheswm arall dros amau nad ydynt yn hen iawn yw mai *trew* oedd gair yn y Canol

Oesoedd am y weithred, a byddaf yn ei drafod isod. Byddwn i'n amau mai yn ystod y canrifoedd diwethaf y daeth *trwsh* neu *twsh*- yn arferol yn y De, ond bod y terfyniadau berfol *-ian* a *-ial* yn amrywio'n weddol helaeth. Efallai iddynt ddisodli *taro untrew* Cymraeg Canol.

Nododd un y byddai ei thad 'Glanffrwd James o Abertawe (ei dad ef o Geinewydd, a'i fam o Nantgaredig) yn arfer dweud 'tarwentro', a chofnodwyd *taro intrew* yn y traethawd MA *Tafodiaith Rhan Isaf Dyffryn Llwchwr* yn 1958. Nododd un o Ddyffryn Aman iddo ei glywed. Dim ond yn y Rhondda y nodwyd ei fod yn fyw o hyd, sef *taro entro*. Nododd un ieithydd mai'r ffurf ym Mlaenau Morgannwg yw ['tɑˈro 'ɪntrɛʊ]. Ychwanegwyd bod *tisian* ['tiʃan] ar lafar yno hefyd. Mae hwn yn wahanol i *tisian* ['tiʃan] sy'n air am gacen. h.y. mae gwahaniaeth bach, eithaf pwysig, rhwng rhywbeth fel *tîsian* 'teisen' a *tisian* 'to sneeze'. Pan fo newid un sain yn golygu newid ystyr, mae hyn yn arwydd bod y newid yn un ffonemig. Os yw'n amrywiad sydd ddim yn newid yr ystyr mae'n newid *seinegol* (phonetic). Yn y Gogledd mae *mul* a *mil* yn ddau air llafar gwahanol, ond yn y De (ar y cyfan) maen nhw'n swnio'r un fath, felly dim ond gwahaniaeth *seinegol* yw. Dyma'r hen air ffraeth am Hwntw yn gorgywiro *porthi'r pum mil* i *porthi'r pum mul*, pan fu yr Iesu yn *'feeding the five mules'* yn hytrach nac yn *'feeding the five thousand'*.

Yn ôl nawr at y gair *trew*, a'i hamrywiadau mewn ieithoedd Celtaidd eraill. Yn y Gymraeg mae gennym y geiryn bach *ys*- y gellir ei osod o flaen berfau, fel *mygu* ac *ysmygu*. O'i osod o flaen *trew* cawn y ferf *ystrewi*[5], ac mae hwn wedi ei gofnodi mewn Cymraeg Modern Cynnar am y weithred uchod. Mae'n cyfateb i'r ffurf mewn Cernyweg Diweddar *striwhe* a Llydaweg diweddar *'streviañ'* a'r gair *sreod* mewn Gwyddeleg Canol. Mae rhai o'r farn fod y rhan yn tarddu o wreiddyn PIE **ster-*, a'i fod i'w weld yn y gair Lladin *sternere*. Rhoddodd hwn *'eternuer'* yn y Ffrangeg ac *'estornudar'* yn y Sbaeneg. Ond mae'r union berthynas â *trew* yn ansicr.

Tŷ, tai/teie

Mewn rhannau o Sir Gaerfyrddin nodwyd mai'r lluosog oedd *teie*. Lluosog dwbl yw hwn. Mae lluosogi yn y Gymraeg yn bur ddyrys, ond mae'n debyg ei fod mor naturiol inni nad ydym erioed wir wedi meddwl amdano. Meddyliwch am yr holl ddulliau gwahanol sydd gennym i wneud gair yn lluosog.

---

[5] Gweler HAMP, E. P. 1983. 'trew and ystrew'. *Bulle;n of the Board of Cel;c Studies*, XXX III & IV, 292

Wislen / llyg - *shrew*

Ymddengys fod pedair ffurf ar lafar am y creadur bach hirdrwyn hwn. Y gair mwyaf cyffredin o bell yw *llyg*. Ond ym Meirionnydd a Dyffryn Banwy y gair yw *wislen*. Y trydydd gair a nodwyd, ym Môn, yw *sgrew*. Mae'n ymddangos bod y ffurf *chwislen*, sy'n fenywaidd, ar lafar yn ardal Bangor ychydig dros ganrif yn ôl. Noda WVBD (333) 'Hen *chwislan* fel ychdi yn mynd i nysgu i'. Yng Nghwm Abergeirw ger Trawsfynydd, fe'i defnyddid, fel uchod, i geryddu'n ysgafn "Sgwn i ble mae'r hogyn 'na, 'rhen chwislyn bach'. Ffurf wrywaidd yw hynny, wrth gwrs. *Chwislod* yw'r lluosog a nodir gan GPC. Y ffurf olaf a nodwyd, a hynny yn Nwyfor, oedd *llygod y maes*.

Mae gennym broblem fach onid oes? Beth yw'r lluosog? Wel, *llygod*, onid e? Gair ychydig yn amwys. Mae'n debyg i'n cyndadau Brythoneg wynebu'r un drafferth. Oherwydd hyn lluniwyd ffurf unigol newydd sef *llygoden*. Mae'n debyg i hyn ddigwydd cyn i'r ieithoedd Brythonig ymrannu oherwydd mae gennym *logoden* yn Llydaweg a *logosan* mewn Cernyweg Canol. Er mwyn gwahaniaethu rhwng *llygod* 'mice' a *llygod*, lluosog *llyg*, bathodd Cymdeithas Naturiaethwyr Cymru luosog newydd iddo, sef *llygon*.

Mae tarddiad y gair *llyg* yn ansicr, ond gyda chymorth y ffurf mewn Hen Wyddeleg, sef *luch*, mae'n bosibl ailffurfio'r ffurf Geltaidd *luk-*. Un cynnig yw bod hwn yn tarddu o air PIE *luku-* sy'n golygu 'du, disglair' ond mae'n anodd deall pam y rhoddid enw felly ar greadur bach mor ddi-liw. Cynnig arall yw ei fod, fel y gair Lithiwaneg am *llygoden*, yn tarddu o *p(e)le-*. Edrychwch ar y gair *llwyd*, isod am drafodaeth fwy manwl. Mae'n debyg y collwyd y gair brodorol, oedd fel *mūs*, am resymau tabŵ. Yn y bôn bydd enwau rhai anifeiliaid, mewn llawer o ieithoedd, yn cael eu newid am rywbeth mwy disgrifiadol, yn fras er mwyn osgoi rhyw anlwc neu'i gilydd.

Yn rhyfedd ddigon mae 'llygod' (unigol yw yma) yn digwydd mewn sawl enw personol yng Ngâl, er enghraifft *Lucotious* a ΛΟΥΚΟΤΙΚΝΟΣ. Cofiwch mai'r wyddor Roeg a ddefnyddiai Galiaid y De, wedi'i fenthyca oddi wrth Roegiaid dinas fawr Marseilles. Mae hefyd dref yng nghanol Ffrainc o'r enw Ligugé, ac mae'n ymddangos mai tarddiad hwn yw *Lucotiācon* (Llygodiog). Golyga hyn un ai tiriogaeth sy'n perthyn i ddyn o'r enw *Lucotios*, neu ynteu annedd oedd yn llawn llygod (DLG 210). Anodd gwybod pa un.

O'r Saesneg *whistle* 'chwibanu' y daw *chwislen*, a chyfeirio at ei wich a wna.

Ac i gloi, beth am *sgrew*? Meddyliwch i gychwyn am y gair Saesneg, gan gofio nad oedd yn y Gymraeg na'r sain *sh* na'r clwstwr *sr-* ar ddechrau gair. Byddai ynganu *'shrew'* yn dipyn o gamp i Gymraes neu Gymro ganrif neu ddwy'n ôl, a'r hyn a wna ieithoedd yn amlach na pheidio yw addasu geiriau i'w sustem seinyddol nhw eu hunain. Yn yr achos hwn fe'i cymathwyd, mae'n debyg, i'r clwstwr dechreuol *sgr-* gan fod hwn eisoes yn bod mewn geiriau fel *sgrin* neu *sgrech*. Daw'r Saesneg *'shrew'* o'r Hen Saesneg *'screawa'*, a rhaid cofio mai *sc* oedd dull yr Eingl-Sacsoniaid o ddynodi *'sh'*. Yn rhyfedd ddigon nid oes unrhyw dystiolaeth am y gair hwn rhwng cyfnod Hen Saesneg (600-1100) a'r unfed ganrif ar bymtheg. Un cynnig yw ei fod yn tarddu o PIE **skreu-* 'torri ; offeryn i dorri' a'i fod yn cyfeirio at ei drwyn pigfain.

Ysgyfarnog, gota, pry mawr, ceinach

Y gair arferol ledled Cymru erbyn hyn yw *sgwarnog*. *Sgyfarnog* neu *sgfarnog* yw'r ynganiad yn y Cymoedd. Ffurf lafar ar yr hen air *ysgyfarnog* yw hon wrth gwrs, ond beth yw ei ystyr? Os ewch i Lydaw mae'n ddigon posibl y dewch ar draws pobl sy'n dwyn y cyfenw *Scouarnec*. Petaech yn medru holi'r cyndadau mi gaech mai rhywun â chlustiau mawr oedd. A dyna chi'r ateb! Hen air am glust yw *ysgyfarn*. Y gair hyd heddiw yn y Llydaweg yw *skouarn* a'r gair Cernyweg yw *'scovarn'*. Gair Brythoneg cadarn yw, ac nid oes arlliw ohono yn yr Wyddeleg. Am ryw reswm disodlwyd *ysgyfarn* gan *clust* (sy'n perthyn i *clywed*). Does gennyn ni ddim syniad o ble daw'r gair *ysgyfarn*.

Yn y Gogledd-orllewin mae *lefryn* a *lefran* yn gyfarwydd am un ifanc. Bydd pobl Môn yn dweud *lefran* am gariad hefyd. O'r Saesneg *'lever(et)'* y daw. Ym Môn mae *pry* neu *pry mawr* yn arferol. *Codi pry* yw *'to startle a hare'*.

Mae *y geinach* yn hysbys yn y Gogledd hefyd, ond mae'n mynd brin erbyn hyn. Daw hwn o hen wreiddyn **kannī* < **kasnī-*, a'r terfyniad *-ach*. Y bôn yn PIE yw **kas-* ac mae'n golygu 'llwyd'. A bod yn gwbl onest dylwn nodi mai'r ffurf PIE a ddyry'r arbenigwyr yw **k̂$_2$s-n-ih$_2$-* ond byddai perygl imi ddychryn llawer hefo'r holl sumbolau hyn. Y gwir yw nad oes dim byd yn anodd iawn yma, dim ond bod rhaid i ieithyddion ddefnyddio'r rhain i gyfleu rhai syniadau arbenigol. Digwydd yn weddol aml mewn enwau lleoedd, ond hynny yn y Gogledd yn unig, e.e. Llwyn Ceinach ym Mangor a Llety'r Geinach yn Llanbeblig.

Efallai eich bod yn gwybod am y Brodyr Grimm, sef Jacob (1785–1863) a Wilhelm (1786–1859). Y ddau frawd o Almaenwyr hyn a fu'n gyfrifol am gasglu a chofnodi llawer o'r chwedlau gwerin sy'n sail i rai o ffilmiau enwocaf Disney, fel *Snow White and the Seven Dwarfs*, *The Princess and the Frog* a *Tangled* (Rapunzel). Yn ogystal â bod yn gasglwyr llên gwerin, roeddynt ymysg y cynharaf o'r ieithyddion hanesyddol gwyddonol eu hagwedd. Nhw oedd y cyntaf i ddangos yn eglur y newidiadau hyn yn yr ieithoedd Germaneg, sef *Rheol Gyntaf Grimm*:

p > f   /f/

t > th   /θ/

c < ch   /x/

Mae'n union fel ei treiglad llaes ni. Y rheswm rydw i'n nodi hyn yw er mwyn egluro bod **kas-* wedi troi'n '*chas*' ac yna'n **has* mewn Proto-Germaneg. Rhoddodd hwn y gair *haas* 'ysgyfarnog' yn yr Iseldireg, ac wrth i *s* droi'n *r* cawsom '*hare*' yn y Saesneg. Mae *ceinach* a '*hare*' felly yn dod o'r un gwreiddyn!

Roedd y *gota* ar lafar yn Sir Benfro a rhannau o Geredigion (GDD 147). Ffurf fenywaidd *cwta* yw, ac at gynffon gota'r ysgyfarnog y cyfeiria, ond ni nododd neb ei fod o hyd yn dal ar lafar gwlad. I gloi, carwn nodi'r enw *oen bach Melangell* am y creadur hwn. Digwydd yn ardal Pennant Melangell ym Mhowys, a deillia'r enw o hanesyn am y santes Melangell yn achub ysgyfarnog rhag helgwn y brenin Brochfael Ysgithrog. Ewch i'r eglwys, ger Llangynog, ac fe welwch elfennau o'r chwedl wedi'u naddu ar y sgrin hynafol. I gloi eilwaith ydych chi'n gyfarwydd â CD sgwarnoglyd Bob Delyn a'r Ebillion? Yr un o'r enw *Gedon*. Hwn yw'r gair am sgwarnogod yn y Llydaweg. Y ffurf unigol yw '*gad*' a than yn ddiweddar roedd ei darddiad yn gwbl anhysbys. Mae ysgolhaig o Iwerddon wedi llunio dadl gref ei fod yn perthyn i'r gair Hen Wyddeleg '*gat*' (lladrad). Y syniad yw bod yr enw yn cyfeirio at goel gwerin gyffredin fod ysgyfarnogod yn wrachod a fyddai'n ymrithio'n ysgyfarnogod er mwyn dwyn llaeth.

Diolchiadau

Dymunaf ddiolch i bawb isod am eich cymorth, eich brwdfrydedd a'ch chwilfrydedd. Mae gan y grŵp 12,800 o aelodau erbyn hyn, ac mae'n cynyddu yn feunyddiol. Mae'n wych gweld bod cynifer yn cyfrannu ac yn mwynhau. Fel y gwelwch, mae cyfranwyr o bob ardal yng Nghymru, rhai o'r Wladfa, ac o wledydd eraill, yn Gymry tramor ac yn ddysgwyr niferus. Chwychwi isod sydd wedi gwneud y llyfr, dim ond ceisio rhoi trefn ar y sylwadau ac ychwanegu nodiadau a wneuthum i. Weithiau dim ond un sylwad a wnaeth cyfrannwr, ond mae dweud pethau fel 'anghyfarwydd' neu 'dieithr' yn gadarn am air o werth mawr. Hynny yw, mae'n werthfawr gwybod lle nad yw gair neu ynganiad yn hysbys. Mae rhai wedi cyfrannu cannoedd o sylwadau, ac wedi rhoi enghreifftiau lu, ac wedi manylu ar faterion dyrys. Mae fy nyled yn fawr iawn ichi. Rydw i wedi cadw ffurf y lleoliadau fel y cawsant eu rhoi imi. Y rheswm dros y penderfyniad hwn oedd bod hyn ynddo'i hunan yn ddiddorol iawn, gan ei fod yn dangos sut mae pobol yn diffinio eu bro neu eu cefndir ieithyddol. Mae'r cyfeiriadau at leoliad nodweddion yn y testun ei hunan, felly nid oes eu hangen yma. Fel y nodwyd yn y cyflwyniad nid yw lleoliad o angenrheidrwydd yn golygu mai dyna a ddywed pawb yn y gymuned honno.

1. Ada Davies (Llan-y-bri)
2. Adam Pearce
3. Adrian Price (Tŷ-croes, Sir Gâr)
4. Alan Davies Hughes (Machynlleth)
5. Alan Evans (Blaenau Ffestiniog)
6. Alan Evans (Llanuwchllyn)
7. Alan Richards (Pontarddulais)
8. Alan Thomas (Ffostrasol)
9. Alaw Fflur Jones (Machynlleth)
10. Aldwyth Collins (Port Talbot)
11. Aled D Jones (Brynaman)
12. Aled Francis (Gogledd Sir Benfro)
13. Aled Pari (Dyffryn Nantlle)
14. Aled Williams (Llithfaen)
15. Alexandra Hopkin (Gorseinon)
16. Alice Mary Jones (Ynys Môn)
17. Alison Ellis (Caerfyrddin)
18. Alun Ceri Jones (Gors-las)
19. Alun Hughes Williams (Llanfairpwll)
20. Alun Ial Jones (Trevelin, Y Wladfa)
21. Alun Lenny
22. Alun Llewelyn (Ystalyfera)
23. Alun Rees (Garnswllt)
24. Alun Rhys Jones (Prestatyn)
25. Alwena Evans (Sir Fôn)
26. Alwyn Evans (Rhyd-y-main)
27. Alwyn Hughes (Gogledd Maldwyn)
28. Amy Smith (Bethesda)
29. Andrea Roberts (Llanberis)
30. Andrew Dixey (Cwm Tawe)
31. Andy Shurey (Rhondda)
32. Aneirin Hughes (Gogledd Ceredigion)
33. Angh Harri (Port Talbot)
34. Angharad Blythe
35. Angharad Davies (Penarth)
36. Angharad Harris (Felinheli)

37. Angharad Kyffin Ellis
38. Angharad Tay (Cwm Nedd)
39. Ania Skarżyńska
40. Anita Butler (Llanberis)
41. Anita Myfanwy (Dyffryn Nantlle)
42. Ann Corkett
43. Ann Derec James (Llangybi)
44. Ann Dicks Roberts (Blaenau Ffestiniog)
45. Ann Eleri Weeks (Llanelli)
46. Ann Elizabeth Williams (Waunfawr)
47. Ann Evans (Porthaethwy)
48. Ann Holland (Môn)
49. Ann James (Pen-y-bryn, Gogledd Penfro)
50. Ann Jones (Meirionnydd)
51. Ann Morris (Maenclochog)
52. Ann Parry-williams (Llŷn)
53. Ann Pritchard (Cwm-gors)
54. Ann Roberts (Môn)
55. Ann Temp (Bethesda)
56. Ann Wyn Thompson (Caernarfon)
57. Anna Beynon-Makepeace (Sir Benfro)
58. Anna Gruffydd (Llangwnad)
59. Anna Jones (Llŷn)
60. Anne Gunter (Gwynfe)
61. Anne Lloyd Cooper (Penmachno)
62. Anne Phillips (Llanelli)
63. Anne Williams
64. Annie Evans (Llanbedr Pont Steffan)
65. Annie Evans (Llanbedr Pont Steffan)
66. Annis Milner (Pont-iets)
67. Annwyn Rose-Ellen Lewis (Ystalyfera)
68. Anthony Caradog Evans (Harlech)
69. Anthony Pritchard (Pontsticill)
70. Anwen Goodacre (Llanrug)
71. Anwen Harman (Dyffryn Nantlle)
72. Anwen Kilian (Llangïan)
73. Anwen Parker (Machynlleth)
74. Anwen Thomas (Pentir, ger Bangor)
75. Anwen Williams
76. Aron Lewis (Brynaman)
77. Audra Roberts (Môn)
78. Awen Hamilton (Trefor)
79. Awen Mai Morgan (Porthmadog / Awstralia)
80. Awen Morris (Caernarfon)
81. Awena Parry Walkden (Ynys Môn)
82. B. Hugh Gwynne (Llandudoch)
83. Becky Rowe (Rhondda)
84. Benjiman Angwin
85. Bernard Gestin (Llydaw)
86. Beryl Burgess (Caerdydd)
87. Beryl Griffith Jones Gynt (Rhydyclafdy)
88. Beryl Morgans (Felin-fach)
89. Beryl Williams (Dre-fach Felindre)
90. Bet Eldred (Caerfyrddin)
91. Bet Lloyd Jones (Porthmadog)
92. Beth Wright (Rhosllannerchrugog)
93. Bethan Davies Evans (Llansadwrn, Sir Gâr)
94. Bethan Eirian Jones (Gogledd-orllewin Môn)
95. Bethan Gwilym (Eifionydd a Phenrhyn Llŷn)
96. Bethan Gwyndaf Davies (Y Ffôr)
97. Bethan Hâf (Dinbych)
98. Bethan Helen Jones (ardal Pwllheli)
99. Bethan Hughes (Môn)
100. Bethan Jones (Castellnewydd Emlyn)
101. Bethan Jones Griffiths (Gogledd Môn)
102. Bethan Mair (Pontarddulais)
103. Bethan Moseley
104. Bethan Pari Jones
105. Bethan Roberts (Llŷn)
106. Bethan Tawe Nedd (Castell-nedd)
107. Bethan Williams (Llŷn)
108. Bethan-Catrin Roberts (Bangor)
109. Beti Rhys (Porthmadog/Bethesda)
110. Betsan O'Connor
111. Bidi Griffiths (Sir Benfro)
112. Bleddyn Jones
113. Bleddyn Williams (Blaenau Ffestiniog)
114. Bonni Davies (Cwm Gwaun)

115. Branwen Davies (Ynys Môn)
116. Branwen Gwyn
117. Branwen Llewelyn Jones (Pontardawe)
118. Brenda Dayson (Trimsaran)
119. Brenda Jones (Trefor)
120. Bríd Gwenllian Price (Môn)
121. Bronwen Green (Llanllwni)
122. Bronwen Lydia
123. Bronwyn Siôn
124. Bryn Colion (Corwen)
125. Bryn Edmunds (Rhuthun)
126. Buddug Angharad
127. Buddug Hill (Mynytho)
128. C Morys FineArt (Eifionydd)
129. Callum John (Blaenau Ffestiniog)
130. Carol Ann Williams (Dwyfor)
131. Carol Byrne Jones (Llandyfrïog /CN Emlyn)
132. Carol Owen Jones (Llŷn)
133. Carol Thomas (Llŷn)
134. Caroll Ann Morris (Eifionydd)
135. Carwen Arlanymor
136. Carwen Davies (Botwnnog)
137. Caryl Bryn (Môn)
138. Carys Alun (Henllan, Llandysul)
139. Carys Angharad Jones (Sir Gâr)
140. Carys Dafydd (Penllyn)
141. Carys Henry (Cwm Tawe)
142. Carys Jones (Edeirnion)
143. Carys Lloyd (Môn)
144. Carys Mai McKenzie (Blaenau Ffestiniog)
145. Carys Puw Williams
146. Cat Humphreys (Cricieth)
147. Catherine Ellen Browning (Ardudwy)
148. Catherine Hughes (Tregaron)
149. Catherine Penrose (Cyffordd Llandudno)
150. Catherine Trow (Llanfachreth)
151. Cathi Parri (Cwm Tafolog)
152. Cathryn Eleri (Ceredigion)
153. Cathryn Gwynn (Abergwaun)
154. Catrin Bellamy Jones (Llan-arth)
155. Catrin Elis Williams (Mynytho)
156. Catrin Enid
157. Catrin Llywelyn (Betws, Rhydaman)
158. Catrin Withers (Môon)
159. Cecil Jones (Llanberis)
160. Ceinwen A. M Jones (Eryri)
161. Ceinwen Parry (ardal Bangor)
162. Ceinwen Roach (Llanwnnen)
163. Ceinwen Williams Bridfa Bethel (Arfon)
164. Ceri Llwyd
165. Ceril Rhys-Dillon (Tregaron)
166. Ceris Davies (Rhydlewis)
167. Cerith Dafydd Rhys Jones (Cwm-gors)
168. Cheryl Davies (Cwmtawe)
169. Chris Baglin (Dyffryn Nantlle)
170. Chris Rose-Thomas (Llanberis)
171. Chris Schoen
172. Christine Humphreys (Caernarfon)
173. Christopher Dafydd Johnson
174. Cian Marc (Môn)
175. Claire Morgan (Aberhonddu)
176. Claire Taylor-Shepherd (Caerdydd)
177. Cofio Arthur Morgan Thomas
178. Colin Robins (Llanelli)
179. Craig Hitchings (Pen-y-bont)
180. Críostóir Mac Giolla Eoin
181. Crysau Cymraeg Shwldimwl (Llanboidy)
182. Cymro Jazz
183. Daf Dafis (Llŷn)
184. Daf Roberts (Cwmafan)
185. Dafydd Bates
186. Dafydd Gwallter Dafis (Tanysgrisiau)
187. Dafydd Lewis (Dyffryn Banw)
188. Dafydd Morgan Lewis (Llangadfan)
189. Dafydd Morris
190. Dafydd Price Jones (Bangor a Rhuthun)
191. Dafydd Whiteside Thomas (Llanrug)
192. Dai Brain (Crymych)

193. Dai Hawkins (Trefyngrel)
194. Dai Lingual (Bow Street)
195. Daliah Raouf (Porthmadog)
196. Dan Barlow
197. Dan Morris (Llandeilo)
198. Darren Orritt (Caernarfon)
199. Dave Wall (Creigiau)
200. Davena Evans (De Ceredigion)
201. David Walters (Aberdâr)
202. David Willis (Rhydychen)
203. Dawn Parri-Sawdon (Gogledd Ceredigion)
204. Ddftiynn Asdzeemnv (Llanberis)
205. Debbie Gilbert
206. Dee P Jay (Caernarfon)
207. Dei Fon Williams (Môn)
208. Dei Jones (Chwilog)
209. Del D'Aubray (Beddgelert)
210. Delwyn Davies (Harlech)
211. Delyth Davies (Cribyn)
212. Delyth Fôn (Deiniolen)
213. Delyth G Morgans Phillips (Tal-sarn/Bwlch-llan)
214. Delyth James (Cwm Gwaun)
215. Delyth Johnson (Rhydaman)
216. Delyth Jones (Brynrefail)
217. Delyth Mair (Castell-nedd)
218. Delyth Roberts (Rhos-lan)
219. Denise Evans Hughes (Rhos-y-bol)
220. Dennis Davies (Llanrwst)
221. Derec Stockley
222. Derek Meredith Williams (Ystalyfera)
223. Deric Meidrum (Glynllwchwr)
224. Derrick Jones (Môn)
225. Dewi Evans (Y Bala)
226. Dewi Harries
227. Dewi J Morris (Dyffryn Dyfi)
228. Dewi Jones
229. Dewi Morgan Pugh (Parc, Y Bala)
230. Dewi Poole (Maldwyn)
231. Dewi Pritchard (Llŷn)
232. Dewi Prysor Williams (Trawsfynydd)
233. Dilwen Walsh (Llandysul)
234. Dilwyn Jones (Bethesda/Nantglyn)
235. Dilwyn Williams (Pen-y-groes, Gwynedd)
236. Dilys Davies (Dde Ceredigion)
237. Dilys Hughes (Môn)
238. Dolwen Williams (Llŷn)
239. Dona Haf (Llangernyw)
240. Dora Pritchard (Llŷn)
241. Dorothy Hughes
242. Dot Bailey (Môn)
243. Doug Roberts (Ystalyfera)
244. Douglas Constable
245. Duncan Brown (Waunfawr)
246. Dwynwen Berry (Llanrwst)
247. Dwynwen Llywelyn (Tregaron)
248. Dwynwen Roberts (Llandudno)
249. Dwyryd Williams (Dolgellau)
250. Dyfed Wyn
251. Dylan Foster Evans
252. Dylan Jones (Cwm Gwendraeth)
253. Dylan Jones (Llangefni)
254. Dylan Rhys Thomas (Capel Iwan)
255. Dylan Tudur Evans (Llangefni)
256. Eddie Ladd (Aberteifi)
257. Edna Morgan (Arfon)
258. Edward Howell Jones (Cwmtawe)
259. Edwina Davies (Corwen)
260. Edwina Fletcher (Blaenau Ffestiniog)
261. Eflyn Williams (Bryn Saithmarchog)
262. Efrem Ab Wiraneurin (Sir Gaerfyrddin)
263. Eiddwen Thomas (Llanberis)
264. Eifion Morris Jones (Llansannan)
265. Eifion Thomas (Rhiwlas/Llansilin)
266. Eifiona a Gary Glo (Dyffryn Nantlle)
267. Eileen Jones (Tywyn, Gwynedd)
268. Eilir Hughes (ardal Corwen)
269. Eilir Owen (Cwmtawe)
270. Einir Wyn (Niwbwrch)
271. Einir Young (Cwmtwrch)
272. Eira Davies (Drefach)
273. Eira Wyn Owen-Proctor (Môn)
274. Eirian Rice (Nefyn)

275. Eirianwen Blackford (Dinbych)
276. Eirlys Morgan (Bronant)
277. Eirwen James (Llanddewi Brefi)
278. Eirwen Jones
279. Eiry Palfrey (Glynarthen)
280. Eirys Buckland-Evers
281. Elan Mari Thomas
282. Elanwy Leaney (Llŷn gynt)
283. Eleanor Burnham (Cynwyd)
284. Elen Davies (Cwm Gwendraeth)
285. Elen Mererid Watt (Cwmtirmynach)
286. Eleri Davies (Pentrecagal)
287. Eleri Gwyndaf (Glynceiriog)
288. Eleri Hourahane (Aberaeron)
289. Eleri Huws (rhieni o Arfon)
290. Eleri Rees Roberts (Llŷn)
291. Elfair Jones (Cwm Tawe)
292. Elfed A Marian (Betws-yn-Rhos)
293. Elfed Gruffydd (Llŷn)
294. Elfryn Wyn Jones (Prestatyn)
295. Elin Ellis (Mynytho)
296. Elin Jones (Llanddewi -Brefi)
297. Elin McGowan (Pistyll)
298. Elinor John (Abertawe)
299. Elinor Patchell
300. Elinor Wyn Nicholson (Cydweli)
301. Elisabeth Jones (Nefyn)
302. Elisheil Howells (Blaen-porth)
303. Elizabeth Jones
304. Elliw Mai (Trawsfynydd)
305. Elsie Hazell-Sims (Pontrhydyfen)
306. Elspeth Cotton (Tyddewi)
307. Eluned Davies-Scott
308. Eluned Stalham (Tregaron)
309. Eluned Winney (Ceredigion)
310. Elved Jones (Glyndyfrdwy)
311. Elvey MacDonald (Dyffryn Ceiriog)
312. Elvira Austin (Baglan)
313. Emyr Lewis
314. Emyr Morgan (GCG)
315. Emyr Tosh Langley (Pencader)
316. Emyr Williams (Môn)
317. Emyr Wyn (Cwmderi)

318. Enaid Smailliw (Bethesda)
319. Endaf Roberts
320. EnEl Roberts (Llanrug)
321. Enid Edwards (Dinmael)
322. Enid Mair Davies (Llannefydd)
323. Enid Roberts (Deiniolen)
324. Erfyl Smith (Llanelli)
325. Eric Richardson
326. Erica Davies (Rhydaman)
327. Erin Mared (Llanfrothen)
328. Erwyn Jones (Blaenau Ffestiniog)
329. Eryl Rowlands (Amlwch)
330. Esther Elias (Beulah)
331. Esyllt Williams
332. Eurfyl Lewis (Gorllewin Sir Gâr /
     Gogledd Sir Benfro)
333. Eurgain Jarvis (Penisa'r-waun)
334. Euros Morris (Groes, Sir Ddinbych)
335. Euros Puw (Y Parc, Y Bala)
336. Eurwyn Evans (Fron)
337. EW Shân
338. Felicity Roberts (Eifionydd a Môn)
339. Ffiona Jones
340. Fiona Jones (Carmel, Llanrwst)
341. Gaenor Shaw (Port Talbot)
342. Gareth Billy Honeybill
     (Machynlleth)
343. Gareth David Potter (Y Tyllgoed)
344. Gareth Davies (Pum-heol)
345. Gareth Gravell (Caerfyrddin)
346. Gareth Hughes (Dinbych)
347. Gareth Milton-Griffiths (Aberteifi)
348. Gareth R. Williams (Talsarnau)
349. Gareth Watkins (Caerffili)
350. Gareth Williams (Pontyberem)
351. Gary Slaymaker
352. Gaynor Cordelia Knight
353. Gaynor Eastwood (Dubai)
354. Gaynor McGilvary (Ynys Môn)
355. Geno Bleddyn Williams
     (Llandegfan)
356. Geoff Jones
357. Ger P. Williams (Porthmadog)

358. Geraint Davies (Pentraeth)
359. Geraint Evans
360. Geraint H. Ashton (Dolgellau)
361. Geraint Hughes (Pen-y-groes / Cross Hands)
362. Geraint Jones (Coedpoeth)
363. Geraint Løvgreen (Wrecsam/Llanfechain)
364. Geraint Morgan (Bwlch-llan)
365. Geraint Owain Price (Yr Hendy)
366. Gethin Jones (Pontsian)
367. Gethin While (Aberdâr)
368. Geunor Davies (Sarnau)
369. Gill Saunders Jones (Sir Ddinbych)
370. Gillian Burns (Glynceiriog)
371. Glan Thomas (Hendy-gwyn ar Daf)
372. Glenda James (Llandysul)
373. Glenda Rice (Nefyn)
374. Glenda Thomas
375. Glenna Mair Jones (Blaenau Ffestiniog)
376. Glenys Mair Roberts (Llangefni)
377. Glenys Sturgess (Ffynnongroyw)
378. Glenys Tudor Jones (Blaenau Ffestiniog)
379. Glenys Williams (Eifionydd)
380. Glyn Ellis Hughes (Eifionydd)
381. Glyn Furnival-Jones
382. Glynis June Williams (Môn)
383. Glynog Davies (Brynaman)
384. Gorwel Roberts (p2d)
385. Grace Davies Evans (Môn)
386. Gracie Burton (Môn)
387. Graham Williams (Arfon)
388. Greta Hughes (Llanbedrog)
389. Griffith Davies (Rhydaman)
390. Gron a Bet Richards (Waun, y Bala)
391. Gruff ag Anne Richards (Rhuthun)
392. Gruff Em (Morgannwg)
393. Gruffydd O Williams (Llŷn)
394. Guto Jones (Capel Iwan)
395. Guto Prys Ap Gwynfor (Dyffryn Ceidrych, Llangadog)
396. Guto Rhys (Llanfairpwll)
397. Guto Roberts (Benllech / Y Felinheli)
398. Gwawr Jones (Llanllyfni)
399. Gwawr Yim Jones (Tregaron)
400. Gwen Angharad Gruffudd (Arfon)
401. Gwen Baucage (Dolwyddelan)
402. Gwen Carys Jones Parry (Llithfaen)
403. Gwen Evans (Rhos a Phonciau)
404. Gwen Hughes Jones (Pen Llŷn)
405. Gwen Parrott (Bwlch-y-groes)
406. Gwenda Evans (Blaenau Ffestiniog)
407. Gwenda Evans (Sarnau, Ceredigion)
408. Gwenda Holyfield (Moelyci)
409. Gwenda James (Bow Street)
410. Gwenda Lanagan
411. Gwendoline Roberts (Llangefni)
412. Gwenfair Pierce (Pen-rhydd)
413. Gwenllian Baum-Jones (Pontllyfni)
414. Gwenllian Grigg (Talgarreg)
415. Gwènllîàn Jones (Bethesda)
416. Gwenllian Jones (Treffynnon)
417. Gwenno Hughes (Porthaethwy)
418. Gwerfyl Price (Dolgellau)
419. Gwil Ap (Dyffryn Nantlle)
420. Gwilym Owen (Bethesda)
421. Gwilym Pritchard (Benllech)
422. Gwydion Gruffudd
423. Gwylon Phillips (Llanilar)
424. Gwyn Jones (Llanddewibrefi)
425. Gwyn Parry (ochrau Caernarfon)
426. Gwyn Roberts (Y Bala)
427. Gwyn Vaughan Jones (Manod)
428. Gwyndaf Breese (Bro Ddyfi)
429. Gwyneth Edwards (Dyffryn Conwy)
430. Gwyneth Ffrancon Lewis (Dolgellau)
431. Gwyneth Jones (Bethesda)
432. Gwyneth Jones (Dinas Mawddwy)
433. Gwynethann Harries (Rhydaman)
434. Haf Jones (De Ceredigion)
435. Han Evans (Aberaeron)
436. Hannah Povey (Llanfrothen)

437. Harri Williams (Groeslon, Sir Gaernarfon)
438. Haulwen Booth (Gwynfe)
439. Hawys Tuff (Waunfawr)
440. Haydn Lewis (Canol Ceredigion)
441. Heather Tomos (Eglwyswrw)
442. Hedd Gwynfor (Llanfihangel-ar-Arth)
443. Heddyr Gregory (Brynaman)
444. Hedydd Hughes
445. Hefin Harries (Llanfyrnach)
446. Hefin Hughes (Llandudno)
447. Hefin Tomos (Aberdâr)
448. Hefina Roberts (Llangefni)
449. Heledd Griffiths (Llandudoch)
450. Heledd Jones (de Ceredigion)
451. Heledd Wyn Clarke
452. Helen A John Williams (Môn)
453. Helen Evans (ardal Abertawe)
454. Helen Graham Thomas (Ynys Môn)
455. Helen Gwyn
456. Helen Hogan (Bangor)
457. Helen Kalliope Smith (Cwm Nedd)
458. Helen Lane
459. Helen Morgan (Llanrug)
460. Helen Pughe (Maldwyn)
461. Helen Rowlands (Bethesda)
462. Helen Williams
463. Helen Witts
464. Heulwen Huws (Waunfawr, Arfon)
465. Heulwen Lisabeth Jones (Wrecsam)
466. Hilary Hughes (Sir Benfro)
467. Hilda Williams (Morfa Nefyn)
468. Hughes Gar (Bethesda)
469. Huw Davies
470. Huw Eds (Môn)
471. Huw Edwards (Llangennech)
472. Huw Erith (Pen draw Llŷn)
473. Huw Gerallt Evans (Glan Conwy)
474. Huw Glyn Williams (Môn)
475. Huw Griffiths (Sir Gâr)
476. Huw Harries (Caerfyrddin)
477. Huw Jones (Rhosllannerchrugog)
478. Huw K Williams (Rhuthun)
479. Huw Roberts (Castell-nedd)
480. Huw Williams (Cwm-twrch)
481. Hynek Daniel Janoušek (dysgwr)
482. Hywel Evans (Harlech)
483. Hywel Nicholas (Brynaman)
484. Hywel Owen (Groeslon)
485. Hywel Wyn Jones (Y Betws)
486. Ian Hughes (Rhosllannerchrugog)
487. Ian Williams (Treletert)
488. Iestyn Phillips (Caerfyrddin)
489. Ieuan James (Dolgellau)
490. Ieuan Jones (Betws Ifan)
491. Ifan Morgan
492. Ifan Wyn (Glanrafon)
493. Ifor Ap Gwilym
494. Ioan Jones (Cricieth)
495. Iola Roberts (Wrecsam)
496. Iolo Ap Gwynn (Eifionydd)
497. Iona Griffith (Pen Llŷn)
498. Iona Jones (Rhuthun)
499. Iris Williams (Llannerch-y-medd)
500. Iwan Ellis-Roberts
501. Iwan Griffiths (Llanelli)
502. Iwan Hiraethog (Dinbych)
503. Iwan Hughes (Pentrefoelas)
504. Iwan Sion Gareth (Blaenau Ffestiniog)
505. Iwan Thomas (Dyffryn Aeron)
506. J Gwynfor Jones (Esgairgeiliog)
507. J Hugh Davies (Llanymddyfri)
508. Jaci Parry (Dyffryn Nantlle)
509. Jacques-yves Mouton (Llydaw)
510. James Dowden (Castell-nedd)
511. James Matthew Whittaker (Y Felinheli)
512. Jan Bennett (Môn)
513. Jan Kench (Castelln Newydd Emlyn)
514. Jane Roberts (Môn)
515. Jane Williams (Môn)
516. Janet Aethwy (Môn)
517. Janet Bowen (Brynaman)
518. Janet Evans (Llanelli)

519. Janet Keefe (Ardal Wrecsam)
520. Jason Luke Matthewson (Rhydlewis)
521. Jean Pierce (Y Felinheli)
522. Jen Richards (Rhos a Phonciau)
523. Jeuan David Ap John (Treffynnon)
524. Joanne Jones (Brynaman)
525. Joe Ap Paddy (Bangor)
526. John Beynon
527. John Harries (Llanddarog)
528. John Howard Jones (Cwm-gors)
529. John Jones (Pen Llŷn)
530. John Les Tomos (Llanedwen)
531. John Loaring
532. John Love
533. John Owen (Môn)
534. John Pierce Jones (Niwbwrch)
535. John R Pritchard (Amlwch)
536. John Roberts (Gwyrfai)
537. John Roberts (Mawddwy)
538. John Rodge (Llwynhendy)
539. John Sam Jones (Bermo)
540. John Vivian Harris
541. Joyce Povey (Llangybi)
542. Julian Jones (Bancffosfelen)
543. Julie Jones (Cwm-gors)
544. June Moseley (Mostyn)
545. Karen Day (Coed-duon)
546. Karen Rees (Pontrhydfendigaid)
547. Kate Wheeler
548. Kathryn Rowlands (Cwm Gwendraeth)
549. Kathryn Sharp (Caernarfon)
550. Kathryn Smith
551. Kay Thomas (Cwm Gwendraeth)
552. Keith Barrett (Brynaman)
553. Ken Evans
554. Keri Morgan (Gors-las)
555. Kevin Edwards (Carmel, Llanrwst)
556. Kevin Jenkins (Gogledd Sir Benfro)
557. Kez Jones (Rhondda)
558. Kriss Davies (Llanybydder)
559. Laorañs Motrot (Llydaw)
560. Laura Richards (Dyffryn Banwy)
561. Leanda Wynn (Dyffryn Aman)
562. Leigh Thomson (Cwm Cynon)
563. Llinos Wyn
564. Linda Brown (Bethesda)
565. Linda Davies (Môn)
566. Linda Hughes (Dinbych)
567. Linda Hughes (Sarn Mellteyrn)
568. Liz Carter-Jones (Yr Wyddgrug)
569. Liz Thomas (Pontyberem)
570. Llewela Williams (Bryn-crug)
571. Lli Williams (Crymych/Caerfyrddin)
572. Llinos Dafis (Bwstryd)
573. Llinos Haf Spencer (Rhuthun)
574. Llinos Jones
575. Llinos Non Parri (Dyffryn Nantlle)
576. Llinos Phillips (Aberteifi)
577. Llinos Siân (Y Rhondda)
578. Llinos Vincent (ardal Llanbedr Pont Steffan)
579. Llinos Williams (Nefyn)
580. Llio Angharad
581. Llio Davies (Penrhyndeudraeth)
582. Llio Mair Davies (Llangwyllog, Sir Fôn)
583. Llion Meilir Jones
584. Lliwen Angharad (Dinbych)
585. Llunos Gordon (Maldwyn)
586. Llŷr Titus (Llŷn)
587. Llywela Jones (Mynytho)
588. Lois Roberts (Nelson)
589. Lonwen Roberts (Trefor)
590. Lora Wynn-Jones (Caernarfon)
591. Lorna Herbert Egan
592. Louie Roberts (Porthmadog)
593. Lowri Angharad (Sîr Gâr)
594. Lowri Ann James (Y Bala/ Bangor)
595. Lowri Richards
596. Lukian Kergoat (Llydaw)
597. Luned Davies Parry (Môn)
598. Luned Meredith
599. Lynda Thomas (Pencarreg)
600. Lynley Gregory (Aberdâr)

601. Lynne Beer (Llanelli)
602. Lynne Brown
603. Lynne Rees (Cwm Gwendraeth)
604. Lynwen Medi Emslie (Machynlleth)
605. Mag Davies (Harlech)
606. Maggie Parry-Jones (Preseli)
607. Magi Buck (Cwm Afan)
608. Mags Coombe (Cwmtawe)
609. Mah Buga (Pantpastynog)
610. Mair Campbell (Sir Gâr)
611. Mair Eluned Spencer (Nefyn)
612. Mair Evans (Llanrug)
613. Mair Fish (Aberdaron)
614. Mair Morgan (Cwm Wysg)
615. Mair Ning (Môn)
616. Mair Owen (Y Felinheli)
617. Mair Roberts (Llansamlet)
618. Mairwen Gwilliam (Aber-porth)
619. Mairwen Large
620. Mal Hughes (Cwmaman)
621. Malcolm Wyn Vernon
622. Maldwyn Jones (Blaenau Ffestiniog)
623. Maldwyn Pryse
624. Mandy Morfudd
625. Manon Haf Griffiths (Bangor)
626. Manon Steffan Ros (Rhiwlas/Tywyn)
627. Margaret AmberThomas
     (Ystalyfera)
628. Margaret Buckingham Jones
629. Margaret Caddell (Brynaman)
630. Margaret Davies (Treorci)
631. Margaret Eifiona Hewitt (Dolgellau)
632. Margaret Hubbard (Llangefni)
633. Margaret Hughes (Gwynedd)
634. Margaret Jones (Cellan a Chribyn)
635. Margaret Louisa Jones (Pont-iets)
636. Margaret Morgan (Tyddewi)
637. Margaret Roberts (Nantlle)
638. Margaret Thomas (Brynhoffnant)
639. Margaret Tucker (Pontardawe)
640. Margaret Whalley (Bethesda)
641. Margaret White (Llanfechell)
642. Margaret Williams (Dyffryn Conwy)

643. Marged Esli Charles-Williams (Môn)
644. Mari Ellis Parker
645. Mari Gordon (Dyffryn Ogwen)
646. Mari Ireland (Gogledd)
647. Mari Smith (Llan-non)
648. Mari Stephens (Llanerfyl)
649. Mari Williams (Blaenau Ffestiniog)
650. Mari Wyn Ellis (Deiniolen)
651. Maria Haines
652. Marian Lloyd Rees (Dyffryn Clwyd)
653. Marilyn A Lewis Edwards
     (Pontrhydfendigaid)
654. Marilyn Briault (Gwyddelan)
655. Marilyn Jenkins (Trecynon)
656. Marina Parry Owen
657. Marisa Beaumont-Conway
     (Llan-non / Sydney)
658. Mark Vaughan (Llanelli)
659. Martha Dav (Gwyddgrug)
660. Martin Evans (Caernarfon)
661. Martin Huws
662. Martin Lloyd (Cilgerran)
663. Marvin Morgan (Blaendulais)
664. Mary Davies (Llangennech)
665. Mary Davies (Sir Benfro)
666. Mary Evans (Sir Gâr/Ceredigion)
667. Mary Jones (Dolgellau)
668. Mary Morgan (Tregaron)
669. Mary Moses Nichols (Cwm Tawe)
670. Mary Sinclair (Llanllwni)
671. Mati Jones (Caernarfon)
672. Mattie Evans (Uwchmynydd)
673. Mcdi Evans (Caerdydd)
674. Meg Elis (Arfon)
675. Megan Cynan Corcoran
     (Beddgelert)
676. Megan Jones (Cwmsychpant)
677. Megan Tudur (Ceredigion)
678. Meic Lewis (Porthmadog)
679. Meifis Howell Griffiths (Llangeler)
680. Meilir Roberts (Môn)
681. Meinir Ann Thomas (Rhydargaeau)
682. Meinir Gwilym (Arfon)

683. Meinir Jones Parry (Aberteifi)
684. Meinir Lewis Jones (Llandysul)
685. Meinir Morgan (Pontarddulais)
686. Meinir Pierce Jones
687. Meirion MacIntyre Huws (Caernarfon)
688. Meiriona Williams (Croesor)
689. Meiriona Williams (Dyffryn Conwy)
690. Melody Preston (Blaenau Ffestiniog)
691. Menai Ellen Williams
692. Menai Williams
693. Menna Diamond (Blaenau Ffestiniog)
694. Menna George (Pen-parc, Aberteifi)
695. Menna Lisk (Ynys Môn)
696. Menna Medi Jones
697. Menna Michoudis
698. Menna Parrington Jones (Fron)
699. Menna Thomas
700. Mer Cynnull (Tal-y-bont)
701. Meredydd Richards
702. Mererid Boswell (Llanuwchllyn)
703. Meryl Darkins (Tre-boeth)
704. Michael Aaron Hughes
705. Michael Dryhurst Roberts (Aberffraw)
706. Michael Edwin Hughes
707. Michael McGrane
708. Michael Whan
709. Mici Plwm (Blaenau Ffestiniog)
710. Mihangel Ap Rhisiart
711. Mike Downey (Caernarfon)
712. Minah Drew (De Sir Ddinbych)
713. Miranda Morton (Splott)
714. Moelwen Gwyndaf (Sir Gâr)
715. Mona Morris
716. Morag Roberts (Llanfairfechan)
717. Morfudd Thomas (Croesor)
718. Morfydd Jones (Henllan, Llandysul)
719. Morina Lloyd (Llanllawddog)
720. Morwen Jones (Llŷn)
721. Morwen Rowlands (Maenclochog)
722. Morwenna Jones (Môn)
723. Muriel Roberts (Llan-arth)
724. Mwynwen James (Capel Iwan)

725. Myfanwy Alexander (Llanfair Caereinion)
726. Myfanwy Owen (Ystradgynlais)
727. Myra Parry (Dyffryn Banwy)
728. Myra Pocock (Llan-non, Ceredigion)
729. Myrddin Williams (Bethesda)
730. Myrna Glyn (Cwm Cynon)
731. Nancy Tomos (Llŷn)
732. Nans Couch
733. Nans Rowlands (Trawsfynydd)
734. Natalie Morgan (Maenclochog)
735. Nathan Jones (Bala)
736. Neil Mac Parthaláin
737. Neil Sands
738. Nellie Jo (ardal Wrecsam)
739. Nerys Haynes (Bryn-y-maen, Sir Ddinbych)
740. Nerys Hewitt (Cyffylliog)
741. Nerys Howell (Sir Gâr)
742. Nerys Lloyd (Glyn-nedd)
743. Nerys O'Beirn (Blaenau Ffestiniog)
744. Nerys Pritchard (Sir Ddinbych)
745. Nerys Roberts (Eryri)
746. Nest Vaughan Evans (Edeyrnion)
747. Nest Wyn Jones (Y Felinheli)
748. Nesta Jones (Ynys Môn)
749. Nesta Wynne (Môn)
750. Netta Pritchard (Mynytho)
751. Nev Evans (Ynys Môn)
752. Nia Angharad Morgan Mears (Gwauncaegurwen)
753. Nia Barrar (Brynaman)
754. Nia Came (Blaenau Ffestiniog)
755. Nia Caron (Bethesda)
756. Nia Clwyd Owen (Llanrwst)
757. Nia Evans (Ffostrasol)
758. Nia Haf Evans (ger Dinbych)
759. Nia Lloyd Williams (Dyffryn Clwyd)
760. Nia Llwyd Lewis (Ynys Môn)
761. Nia Llywelyn (Ceredigion)
762. Nia Mair (Brynaman)
763. Nia Morgan (Y Bala)
764. Nia Percy (Bangor)

765. Nia Rhonwen Jones (Caernarfon)
766. Nia Roberts (Bryneglwys)
767. Nia Teleri Lewis (Dyffryn Ardudwy)
768. Nia Wyn Hughes (Cwm-y-glo)
769. Nic Ros (Caerdydd)
770. Nicholas Daniels (Llangennech)
771. Non Harries (Dinas, Sir Benfro)
772. Non Lewis (Aberteifi)
773. Nonn Rice (Abertawe)
774. Nora Jones (Blaenau Ffestiniog)
775. O.G. Lewis-Han (Glanaman)
776. Olier Ar Mogn (Llydaw)
777. Olwen Jones (Dinas Mawddwy)
778. Olwen Jones (Talsarnau)
779. Oswyn Williams (Gwalchmai)
780. Owen Saer (Caerdydd)
781. Owen-Huw Evans (Môn)
782. Pat Jones (Pencarreg)
783. Patricia Davies (Rhydaman)
784. Paul Crane (Llanberis)
785. Paul Evans (Tremadog)
786. Paul Morris (Brynaman)
787. Paul Sambrook (Eglwyswrw)
788. Paul Williams
789. Paula Roberts (Llanberis)
790. Paulie Parry (Môn)
791. Pauline Lewis (Môn)
792. Pauline Pritchard (Pwllheli)
793. Pedr Ap Llwyd (Penrhyndeudraeth)
794. Peggy Fitzpatrick (Y Bontfaen)
795. Pete Brooks (Rhondda Fach)
796. Peter Evans (Llandysul)
797. Peter Spriggs (Llanelli)
798. Phil Davies (Llandysul)
799. Phil Lewis (Llandybïe)
800. Poppy Jones (Abertawe)
801. Randall Bevan (Glanaman)
802. Rebecca Harries (Llandybïe / Rhydaman)
803. Rex Caprorum
804. Rheinallt Williams
805. Rhiain Bebb
806. Rhian a Seimon Glyn (Llŷn)
807. Rhian Claire Evans (Y Tymbl)
808. Rhian Dafarn (Aberdaron)
809. Rhian Eyres (Gellilydan)
810. Rhian Hughes (Eifionydd)
811. Rhian Iorwerth (Aberteifi)
812. Rhian Jones (Rhuthun)
813. Rhian L Thomas-Dyson (Sir Gaerfyrddin)
814. Rhian Lewis
815. Rhian Lloyd James (Aberdâr)
816. Rhian Roberts (Môn)
817. Rhian Williams (Gogledd Maldwyn/Llŷn)
818. Rhianm Roberts (Arfon)
819. Rhiannon Charlton (Môn)
820. Rhiannon DL
821. Rhiannon Evans (Llanybydder)
822. Rhiannon Haf Jones (Dyffryn Ceiriog)
823. Rhiannon Lewis (Aberteifi)
824. Rhiannon Roberts (Penrhyndeudraeth)
825. Rhiannon Thomas (Môn)
826. Rhianwen Williams (Caernarfon)
827. Rhianydd Jones-Foster (Pontypridd)
828. Rhidian Huw Evans (Aberteifi)
829. Rhod Lloyd
830. Rhodd Humphreys Arnold
831. Rhoddcymraes Price Davies
832. Rhosier Morgan
833. Rhŷn Ap Glyn Williams
834. Rhys Bowen (Corris)
835. Rhys Colnet (Abergwaun)
836. Rhys Llewelyn (Pen Llŷn)
837. Rhys Llwyd
838. Rhys Llywelyn
839. Rhys Morgan (Môn)
840. Rhys Morris (Caernarfon)
841. Richard Alun Gerrard
842. Richard Gwyn Carr (Arfon)
843. Richard Jonathon Morris (Rhydaman)
844. Richard Jones
845. Richard Penderyn
846. Rish Griffith (Môn)

847. Rita Llwyd (Tal-y-bont, Ceredigion)
848. Rob Nicholls (Pen-clawdd)
849. Rob Sciwen
850. Robat Ap Tomos (Pen Llŷn)
851. Robert Lewis (Rhaeadr Gwy)
852. Robert Parry (Cofi)
853. Rocet Arwel Jones (Rhos-y-bol)
854. Roger Hayward
855. Rose Davies (Llanbedr Pont Steffan)
856. Rose Mary (Môn)
857. Rosemary Tudor (Bronnant)
858. Ruth Jên Evans (Cefn-llwyd, Ceredigion)
859. Ruth Jones (Llangefni)
860. Ruth Roberts Owen (Tywyn, Meirionnydd)
861. Ruth Williams (Dinbych)
862. Sali Wyn Islwyn (Cwmtawe)
863. Sara Bowen Oliver (Arfon)
864. Sara David
865. Sara Fôn Treble-Parry (Llanrug)
866. Sara Grim (Cwm Gwaun)
867. Sara Thomas (Sir y Fflint)
868. Sarah Ebenezer Baker (Glynebwy)
869. Sarah Fidal (Llansilin)
870. Sarah Hopkin (Brynaman)
871. Sarah Roberts (Pencaenewydd)
872. Sel Felin (Tudweiliog)
873. Selwyn Thomas (Pen Llŷn)
874. Sera Cracroft (Rhyd-y-foel, Conwy)
875. Shân Rowlands (Sir Ddinbych)
876. Sharon Jones
877. Sharon Morgan (Cwmaman)
878. Sheila Owen (Caergybi)
879. Sheila Owen (Caergybi)
880. Sian Coleclough (Sir y Fflint)
881. Sian E. Jones
882. Siân Eleri Richards
883. Siân Eleri Roberts
884. Siân Gale
885. Siân Griffiths (Maldwyn)
886. Sian Henderson (Marchwiel)
887. Sian Henderson (Treorci)
888. Sian Hughes (Môn a Llŷn)
889. Sian Jones (Llanelli)
890. Sian Jones (Môn)
891. Sian Lloyd (Llundain)
892. Siân M Davies (Glynarthen)
893. Sian Mair Williams
894. Sian Max – Beynon
895. Sian Merlys (Pontyberem)
896. Siân Morgan-Lloyd (Caernarfon)
897. Sian Northey (Blaenau Ffestiniog)
898. Siân O. Jones (Dinbych)
899. Sian Rees (y Rhyl)
900. Siân Thomas
901. Sian van Es (Caerfyrddin)
902. Sian-Elin Jones (Hendy-gwyn ar Daf)
903. Siobhan Davies (Ynys Môn)
904. Siôn Amlyn (Trefor)
905. Siôn Elwyn (Arfon)
906. Sion Goronwy (Llidiardau, y Bala)
907. Siôn Woods (Rhydaman)
908. Sioned Evans (Harlech)
909. Sioned Haf Thomas (Maenclochog)
910. Sioned Hedd (Llansannan)
911. Sioned Lleinau (Castellnewydd Emlyn)
912. Sioned Trick (Creunant)
913. Sioned Williams (Llangristiolus)
914. Siwan Davies (Parc, Y Bala)
915. Siwan Hill (Sir Fôn)
916. Siwan Menez (Sir Gâr)
917. Siwsan Miller (Llanbedrog)
918. Stan Massarelli (Edern)
919. Steff Rees (Pontyberem)
920. Steffan Ap Breian (Torfaen)
921. Stephen Owen Rŵl
922. Stephney Davies (Cwm Llynfell)
923. Steve Russell (Pen Llŷn)
924. Stifyn Richard Ap Dafydd (Llanfairfechan)
925. Stuart Lloyd (Wrecsam)
926. Sue Proof
927. Sue Rowlands (Y Bala)
928. Sulwen Edwards

929. Sulwen Vaughan (Penmachno)
930. Summer Breeze (Corwen)
931. Susan Cowin (Caerfyrddin)
932. Susan Davies Sit (USA)
933. Sydney Davies (Glynceiriog)
934. Sylvia Anne Jones
935. Sylvia Jones (Llandeilo)
936. Sylvia Lee (Ynys Môn)
937. TA Evs (Caernarfon)
938. Tecwyn Evans (Penrhyndeudraeth)
939. Tegwen Haf (Penrhyndeudraeth)
940. Teleri Saunders (Llanelli)
941. Terry Stone
942. Terwyn Tomos (Clydau)
943. Thelma Jones (Cein Newydd)
944. Thomas Moseley (Ceredigion)
945. Tim Pearce
946. Tom Lew (Sir Feirionnydd)
947. Tomos Yw F'enw (Caernarfon)
948. Tony McNally (Llanbedrgoch)
949. Tracey Louise Pendle (Pencader)
950. Treflyn Jones (Porthmadog)
951. Trefor Jones (Cerrigydrudion)
952. Trefor Williams (Dwyfor)
953. Trefor Williams (Dyffryn Nantlle)
954. Tudur Jones
955. Tudur Owen (Aberffraw)
956. Twm Elias
957. Valmai Davies (Penrhiwllan)
958. Vivian Parry Williams
959. Vivien Lee (Brynaman)
960. Vivienne Jenkins
961. Wwan Hiraethog
962. Wendie Williams
963. Wendy Jones
964. Wendy Thomas (Sarn Mellteyrn)
965. Wenna Williams (Arfon)
966. Wenora Pyrs Dolphin (Maerdy, Meirionnydd)
967. Wiggy Maurice (Môn)
968. Wil Bing Owen (Aber-erch)
969. Will Lloyd
970. William Gwyn (Môn)
971. William Gwynn Williams
972. William Owen
973. Wmffre Davies (Pontsiân a Thalgarreg)
974. Wyn Owen (Amlwch)
975. Y Diweddar Towyn Jones (Castellnewydd Emlyn)
976. Yasmin Turner (Harlech)
977. Yvonne ac Aled Gravell (Sir Benfro)
978. Yvonne Balakrishnan (Caergybi)
979. Yvonne Davis (Dre-fach, Llanelli)
980. Ywain Myfyr (Dolgellau)

Casgliad o eiriau tafodieithol, geiriau
newydd a thrafodaeth fywiog o bob
math am yr iaith Gymraeg